NUEVA EDICIÓN

GENTE JOVEN 1

CURSO DE ESPAÑOL PARA JÓVENES

Encina Alonso Arija
Matilde Martínez Sallés
Neus Sans Baulenas

Autoras: Encina Alonso, Matilde Martínez, Neus Sans

Coordinación editorial y redacción: Laia Sant

Diseño y maquetación: Besada+Cukar

Ilustraciones: Martín Tognola, excepto: Javier Andrada (págs. 46 y 70), Òscar Domènech (págs. 32, 68-69), Enric Font (págs. 13 (2), 28, 35, 80 (el tiempo), págs. 93-104), Man (cómic *La peña del garaje*), David Revilla (págs. 17, 22, 41, 65, 90) y Víctor Rivas (pág. 13 (1)).

Fotografías: Kota, excepto: **Unidad 0:** pág. 10 Mercedes Soledad Manrique/Dreamstime.com, Roxana González/Dreamstime.com, Michael Flippo/Dreamstime.com, Martin Isaac/Dreamstime.com, Getty Images, Natalia Pavlova/Dreamstime.com, Denis Makarenko/Dreamstime.com; pág. 11 dann/Fotolia.com, Rainer Walter Schmied/Dreamstime.com, Erich Lessing/Album (Dalí y Picasso), Alfredo Ragazzoni/Dreamstime.com, Quoc Anh Lai/Dreamstime.com, Oleg Filipchuk/Dreamstime.com; pág. 12 AFP/Getty Images, Sento/Flickr.com, García Ortega, bongo vongo/ Flickr.com, Vinay Neb/Dreamstime.com, Laia Sant; pág. 14 Thinkstock (fondo), José Ramón Pizarro/Photaki.es, Manolo Guerrero/Photaki.es, ManuelVelasco/iStockphoto.com, Ginette Laffargue/Photaki.es, Tomas Fano/Flickr.com, Rafael Molina/Photaki.es; pág. 15 García Ortega; pág. 16 Rumbo Sur, Miguel Vieira/Flickr.com; **Unidad 1:** pág. 18 Thinkstock (fondo), Casadphoto/Dreamstime.com, Arid Ocean/Fotolia.com, efesan/ iStockphoto.com, Nikolai Tsvetkov/Dreamstime.com, Issaurinko/iStockphoto.com, Thinkstock; pág. 19 Thinkstock (móvil), Joan-E. Cabré Díaz; pág. 20 Thinkstock (fondo gris); pág. 21 Tijs Zwinkels/Flickr.com, Lucidwaters/Dreamstime.com, Mikelo/Flickr.com, Thinkstock (fondo libreta); pág. 23 Jarroyo1982/Dreamstime.com, Saul Tiff (chicos); pág. 26 Shutterstock (fondo madera y revista), Thinkstock (fondo mapa), AFP/Getty Images, Imagecollect/Dreamstime.com, AFP/Getty Images, Denis Makarenko/Dreamstime.com, Sbukley/Dreamstime.com, http://cuadrivio.net/ Quino, Instituto Cervantes; pág. 27 Thinkstock, 13 Films, Laia Sant; pág. 28 Thinkstock (fondos y texturas), Saul Tiff, Enric Font; pág. 29 Redferns via Getty Images, Thinkstock (fondo); **Unidad 2:** pág. 30 Jeronimo Rivero/Photaki.es (2); pág. 31 Novastock/Stock Connection/age fotostock; pág. 33 Gran Circo Mundial, Marc Javierre; pág. 34 Ove Tøpfer, Pablo631/Dreamstime.com, T.w. Van Urk/Dreamstime.com, Dbjohnston/Dreamstime. com, Karramba Production/Fotolia.com; pág. 35 BenjaminS/Photaki.es, Laia Sant; pág. 37 Rainer Seiferth (1, 2), Laia Sant (4), Saul Tiff (3, 5, 6); pág. 38 Africa/Photaki.es (1), Jerónimo Rivero/Photaki.es (2), Ingrampublishing/Photaki.es (3), Denis Radovanovic/Dreamstime.com (5); pág. 39 13 Films, Rainer Seiferth; pág. 40 Pilar Carilla (2), Rainer Seiferth (3); pág. 41 Quino, Rainer Seiferth; **Unidad 3:** pág. 42 y 43 Sant Lorente; pág. 44 Tracy Whiteside/Dreamstime.com (1), Hongqi Zhang/Dreamstime.com (2), digitalskillet/iStockphoto.com (4); pág. 47 Galina Barskaya/Dreamstime. com, Lunamarina/Dreamstime.com, Thinkstock; pág. 50 Fernando Botero (Medellín, 1932). *Una familia*, 1989, óleo sobre tela 241 x 195 cm, Museo Botero, Bogotá (Colección Banco de la República de Colombia. Registro 3336), Wikimedia Commons/Fernando Botero, http://the-inner-art.blogspot.com.es/Fernando Botero; pág. 51 13 Films, Donato16/Dreamstime.com; pág. 52 Pumuc/Dreamstime.com, Thinkstock (ordenador); pág. 53 Wikimedia Commons; **Unidad 4:** pág. 54 Michael Gray/Dreamstime.com, Saul Tiff; pág. 55 Saul Tiff; pág. 57 Saul Tiff; pág. 59 MaxiSports/ Dreamstime.com; pág. 62 sizovin/iStockphoto.com, wbgorex/iStockphoto.com, temele/iStockphoto.com, Bluehand/Dreamstime.com, venakr/ iStockphoto.com, sidewaysdesign/iStockphoto.com, Aleksandar Andjic/Dreamstime.com; pág. 63 13 Films, Gizmo/iStockphoto.com; pág. 64 Laia Sant; **Unidad 5:** pág. 66 Elena Elisseeva/Photaki.es; pág. 67 Pablo Blanes/Photaki.es, Marc Javierre; pág. 68 Saul Tiff (1, 2, 6, 8, 12), Ferli Achirulli Kamaruddin/Dreamstime.com, Jovani Carlo Gorospe/Dreamstime.com, Raul Arrebola/Fotolia.com, Jiri Hera/Dreamstime.com, Thomas Perkins/ Dreamstime.com, Ensuper/Dreamstime.com; pág. 74 beckysnyder2/Flickr.com (1), 13 Films (2), SETEM y la Red Navarra Campaña Ropa Limpia (CRL) (4); pág. 75 GeorgeMGroutas/Flickr.com, Mataparda/Flickr.com, DVD Quinceañera/Cameo y Golem; pág. 77 Pablo Blanes/Photaki.es, Saul Tiff; **Unidad 6:** pág. 78 Paulo Capiotti/Flickr.com, Enric Font; pág. 79 PromPerú, ALCE/Fotolia.com, Thinkstock; pág. 81 Dalbera/Flickr.com (2); pág. 82 Auremar/Dreamstime.com, PhotoAlto/Thierry Foulon; pág. 83 Saul Tiff (2, 3, 4, 5); pág. 86 lorboaz/Dreamstime.com, Erich Koller, Export Colombia, Guido Amrein/Dreamstime.com, matilde.m.s/Flickr.com; pág. 87 Sociedad Mixta Para la Promoción de Turismo de Valladolid, Getty Images.
Todas las fotografías de Flickr.com y Wikimedia Commons están sujetas a licencias de Creative Commons (Reconocimiento 2.0 y 3.0).

Locuciones: Jefferson Arese, Montse Belver, Ada Bernaus, Iñaki Calvo, Loren Cartagena, Mireia Conesa, Joshua Cortés, Luis García Márquez, Pablo Garrido, Esther Gil, Moisés de Gomar, Adriana González, Raquel López, Emilio Marill, María Ángeles Martínez, Jaime Montes, Rosa Moyano, Mocho, Lourdes Muñiz, Jorge Peña, Emma Sofía Peraza, Leila Salem, Judith San Segundo, Eduard Sancho, Neus Sans, Laia Sant, David Serra, Sergio Troitiño, Práxedes de Villalonga, Pol Wagner. **Técnico de sonido:** Enric Català (Blind Records).

Canciones: Encina Alonso, Neus Sans, Detlev Wagner (Unidades 1, 3 y 4); Calle 13 (Unidad 6). **Poema:** Gloria Fuertes (Unidad 2)

Agradecimientos: Aleix Bayé, Laura Bayé, Marta Boades, Jaume Cabruja, Ana Escourido, Cristina Esporrín, Gerard Freixa (Textura Ediciones), Martí Gumbert, Sam Gutiérrez, Sara Gutiérrez, Charo Izquierdo, Erich Koller, Elvira Lindo, Daniel Lorente, Matilde Martínez, Mercè Martínez, Albert Miquel, Eduard Miquel, Judith Mir, Alba Rabassedas, Elisenda Sant, Arnau Sant, Clàudia Sant, On Sakamoto, Iu Sakamoto, Mireia Turró, Emilio Uberuaga, Xavier Viñas, Pol Wagner. **IES Palau Ausit de Ripollet (Barcelona) y a sus profesores y alumnos:** José Alfaro, Samuel Álvarez, Laura Carrasco, Joshua Cortés, Jeinaba Daffeh, Iris Díaz, Saray Expósito, Ana G. Samper, Katia G. Samper, Lorena Garvín, Johnny Gaspar, Esther Gil, Quim Hernández, Ana Jiménez, Cristian Lledó, Gerard López, Priscila López, Pol Lumbreras, Alba Pampín, Sergi Martín, María Ángeles Martínez, Judith Martínez, Adrián Maya, Raúl Molina, Sara Navarrete, Aleix Ros, Marta Sáez, Adam Sainz, Judith San Segundo, Dolors Sánchez, Xavier Sánchez, Sabina Sánchez, Jonatan Sánchez, Anna Serra, Ariadna Sut.

ISBN: 978-84-15620-75-4
Reimpresión: junio 2014
Depósito legal: B-33938-2012
Impreso en España por Novoprint

C/ Trafalgar, 10, entlo. 1ª
08010 Barcelona
Tel. (+34) 93 268 03 00
Fax (+34) 93 310 33 40
editorial@difusion.com

www.difusion.com

¿CÓMO ES **GENTE JOVEN NUEVA EDICIÓN**?

Gente joven Nueva edición está diseñado siguiendo el enfoque por tareas. ¿Qué quiere decir esto? Pues que creemos que las lenguas se aprenden sobre todo haciendo cosas interesantes y divertidas con ellas. Se aprende a hablar hablando y a escribir, escribiendo, igual que se aprende a bailar o a jugar al fútbol practicando.

Cada unidad empieza con una portadilla en la que se explica qué **proyecto** vas a hacer, qué **competencias** vas a desarrollar y qué **estructuras lingüísticas** vas a necesitar.

A partir de una serie de **imágenes** y de **ejemplos de lengua en contexto** vas a entrar en contacto con el tema de la unidad.

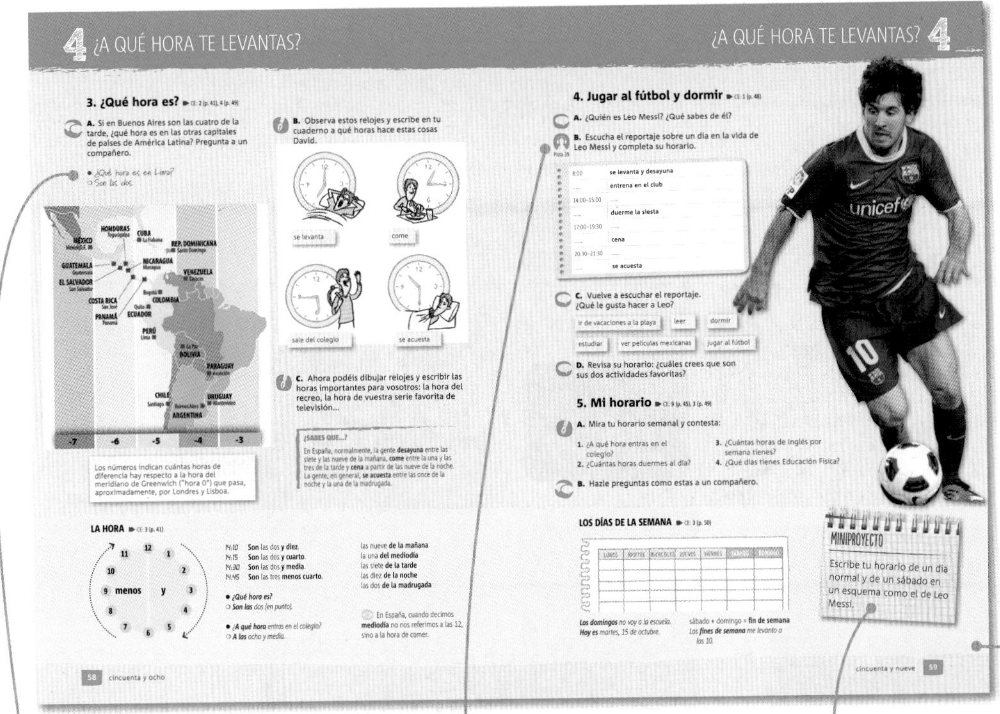

En las páginas siguientes, encontrarás una serie de **actividades**. Leyendo y escuchando los textos, jugando, haciendo teatro, escribiendo solo o en grupo, etc. vas a descubrir cómo funciona el español y vas a practicarlo en situaciones de comunicación auténtica con tu profesor y tus compañeros.

En las páginas de actividades encontrarás **ayudas léxicas y gramaticales** y modelos para poder imitar y usar.

En las actividades y los ejercicios encontrarás **ejemplos** como este para saber lo que tú y tus compañeros tenéis que decir o escribir.

Este icono indica el número de pista del **CD audio** que tienes que escuchar para hacer la actividad.

Al terminar una doble página de actividades podrás poner en práctica todo lo que has aprendido con un **miniproyecto**. Para lograr el objetivo propuesto, necesitarás cooperar con tus compañeros y poner en juego varias competencias en lengua española.

¿CÓMO ES **GENTE JOVEN NUEVA EDICIÓN**?

En la sección de ***Reglas, palabras y sonidos*** podrás estudiar y seguir practicando las reglas y el vocabulario que necesitas mediante ejercicios centrados en un único tema lingüístico.

También dispondrás de **presentaciones muy visuales de aspectos léxicos** importantes en la unidad que te ayudarán a memorizar y a practicar el nuevo vocabulario.

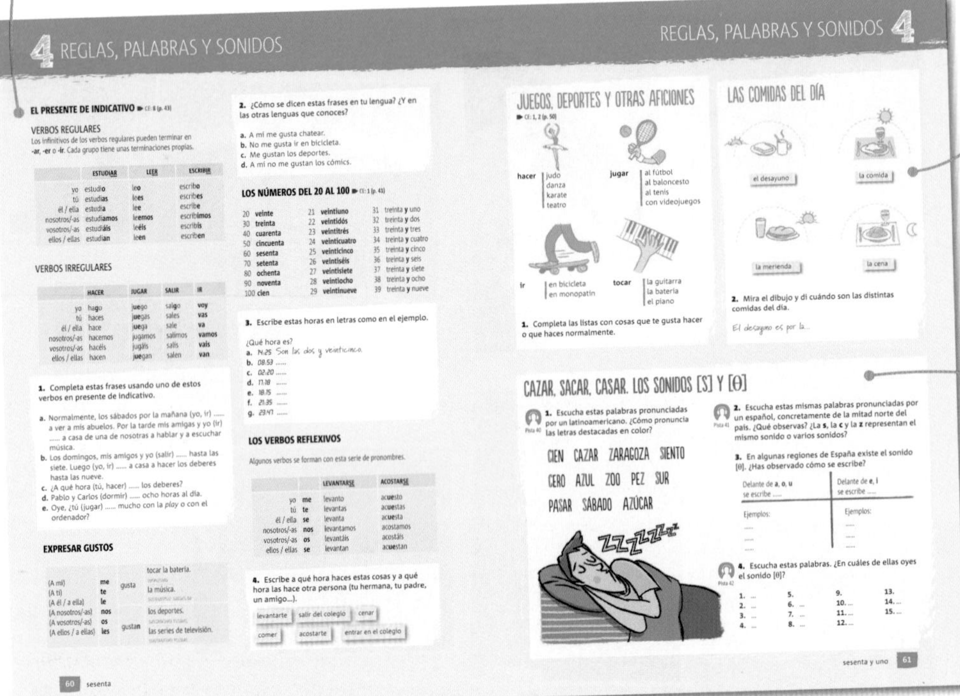

4 REGLAS, PALABRAS Y SONIDOS

EL PRESENTE DE INDICATIVO ➨ CE: 8 (p. 43)

VERBOS REGULARES

Los infinitivos de los verbos regulares pueden terminar en **-ar**, **-er** o **-ir**. Cada grupo tiene unas terminaciones propias.

	ESTUDIAR	LEER	ESCRIBIR
yo	estudi**o**	le**o**	escrib**o**
tú	estudi**as**	le**es**	escrib**es**
él / ella	estudi**a**	le**e**	escrib**e**
nosotros/-as	estudi**amos**	le**emos**	escrib**imos**
vosotros/-as	estudi**áis**	le**éis**	escrib**ís**
ellos / ellas	estudi**an**	le**en**	escrib**en**

VERBOS IRREGULARES

	HACER	JUGAR	SALIR	IR
yo	ha**g**o	**jue**go	sal**g**o	**voy**
tú	haces	**jue**gas	sales	**vas**
él / ella	hace	**jue**ga	sale	**va**
nosotros/-as	hacemos	jugamos	salimos	**vamos**
vosotros/-as	hacéis	jugáis	salís	**vais**
ellos / ellas	hacen	**jue**gan	salen	**van**

1. Completa estas frases usando uno de estos verbos en presente de indicativo.

a. Normalmente, los sábados por la mañana (yo, ir) ...... a ver a mis abuelos. Por la tarde mis amigas y yo (ir) ...... a casa de una de nosotras a hablar y a escuchar música.
b. Los domingos, mis amigos y yo (salir) ...... hasta las siete. Luego (yo, ir) ...... a casa a hacer los deberes hasta las nueve.
c. ¿A qué hora (tú, hacer) ...... los deberes?
d. Pablo y Carlos (dormir) ...... ocho horas al día.
e. Oye, ¿tú (jugar) ...... mucho con la *play* o con el ordenador?

EXPRESAR GUSTOS

(A mí)	me	gusta	tocar la batería.
(A ti)	te		la música.
(A él / a ella)	le		
(A nosotros/-as)	nos		los deportes.
(A vosotros/-as)	os	gustan	las series de televisión.
(A ellos / a ellas)	les		

2. ¿Cómo se dicen estas frases en tu lengua? ¿Y en las otras lenguas que conoces?

a. A mí me gusta chatear.
b. No me gusta ir en bicicleta.
c. Me gustan los deportes.
d. A mí no me gustan los cómics.

LOS NÚMEROS DEL 20 AL 100 ➨ CE: 1 (p. 41)

20 **veinte**	21 **veintiuno**	31 treinta **y** uno
30 **treinta**	22 **veintidós**	32 treinta **y** dos
40 **cuarenta**	23 **veintitrés**	33 treinta **y** tres
50 **cincuenta**	24 **veinticuatro**	34 treinta **y** cuatro
60 **sesenta**	25 **veinticinco**	35 treinta **y** cinco
70 **setenta**	26 **veintiséis**	36 treinta **y** seis
80 **ochenta**	27 **veintisiete**	37 treinta **y** siete
90 **noventa**	28 **veintiocho**	38 treinta **y** ocho
100 **cien**	29 **veintinueve**	39 treinta **y** nueve

3. Escribe estas horas en letras como en el ejemplo.

¿Qué hora es?
a. 14:25 Son las dos y veinticinco.
b. 08:53 ......
c. 02:20 ......
d. 17:18 ......
e. 18:15 ......
f. 21:35 ......
g. 23:47 ......

LOS VERBOS REFLEXIVOS

Algunos verbos se forman con esta serie de pronombres.

		LEVANTARSE	ACOSTARSE
yo	**me**	levanto	ac**ue**sto
tú	**te**	levantas	ac**ue**stas
él / ella	**se**	levanta	ac**ue**sta
nosotros/-as	**nos**	levantamos	acostamos
vosotros/-as	**os**	levantáis	acostáis
ellos / ellas	**se**	levantan	ac**ue**stan

4. Escribe a qué hora haces estas cosas y a qué hora las hace otra persona (tu hermana, tu padre, un amigo...).

levantarte | salir del colegio | cenar | comer | acostarte | entrar en el colegio

60 sesenta

REGLAS, PALABRAS Y SONIDOS 4

JUEGOS, DEPORTES Y OTRAS AFICIONES ➨ CE: 1, 2 (p. 50)

hacer: judo, danza, karate, teatro
jugar: al fútbol, al baloncesto, al tenis, con videojuegos
ir: en bicicleta, en monopatín
tocar: la guitarra, la batería, el piano

1. Completa las listas con cosas que te gusta hacer o que haces normalmente.

LAS COMIDAS DEL DÍA

el desayuno | la comida | la merienda | la cena

2. Mira el dibujo y di cuándo son las distintas comidas del día.

El desayuno es por la...

CAZAR, SACAR, CASAR. LOS SONIDOS [S] Y [Θ]

Pista 40 **1.** Escucha estas palabras pronunciadas por un latinoamericano. ¿Cómo pronuncia las letras destacadas en color?

CIEN CAZAR ZARAGOZA SIENTO
CERO AZUL ZOO PEZ SUR
PASAR SÁBADO AZÚCAR

Pista 41 **2.** Escucha estas mismas palabras pronunciadas por un español, concretamente de la mitad norte del país. ¿Qué observas? ¿La **s**, la **c** y la **z** representan el mismo sonido o varios sonidos?

3. En algunas regiones de España existe el sonido [θ]. ¿Has observado cómo se escribe?

Delante de **a**, **o**, **u** se escribe	Delante de **e**, **i** se escribe ......
Ejemplos:	Ejemplos:
......	......
......	......
......	......

Pista 42 **4.** Escucha estas palabras. ¿En cuáles de ellas oyes el sonido [θ]?

1. ...	5.	9.	13.
2. ...	6. ...	10. ...	14. ...
3. ...	7. ...	11. ...	15. ...
4. ...	8. ...	12. ...	

sesenta y uno 61

Además, aprenderás a discriminar, a pronunciar y a escribir algunos **sonidos del español** que pueden ser difíciles para ti.

En ***La Revista*** hemos incluido textos relacionados con los temas de la unidad. De esta forma, a tu ritmo, puedes aprender más sobre la cultura hispana y sobre los países en los que se habla español.

También podrás aprender **poemas** y cantar **canciones** y sabrás de qué va el **vídeo** de la unidad.

LA REVISTA

Música latina

La música latina y la española están de moda, pero... ¿con qué país se relacionan estos estilos musicales?

el tango: _RG_NT_N_	las rancheras: M_X_C_	la cumbia: C_L_MB__
la salsa: C_B_	el flamenco: _SP_Ñ_	el merengue: R_P_BL_C_ D_M_N_C_N_

SHAKIRA

Shakira Mebarak es una cantante colombiana famosa en todo el mundo. Nació el 2 de febrero de 1977. Desde niña, su pasión es cantar y bailar, y tiene una fundación para luchar contra la pobreza infantil. Así son sus gustos:

- **Música:** le gusta escuchar U2 y Soda Stéreo; le gusta bailar merengue y salsa.
- **Cantantes favoritas:** Janis Joplin, Carole King y Cindy Lauper.
- **Comida:** le gusta la comida árabe, el pescado frito, el mango con sal, el marisco y el chocolate.
- **Literatura:** sus escritores preferidos son Gabriel García Márquez y Oriana Fallaci; le encanta leer.
- **Color favorito:** el negro.
- **Actor favorito:** Hugh Grant.
- **Deportes:** le gusta jugar al fútbol y al paddlesurf.
- **Le gusta:** coleccionar anillos, hacer cerámica y nadar en el mar.
- **No le gusta:** maquillarse.

62 sesenta y dos

VÍDEO

Un día en la vida de Emilio

Emilio se levanta a las diez de la mañana. Come cuando tiene hambre, duerme cuando tiene sueño y juega cuando quiere con sus amigos y con sus juguetes favoritos. ¿Quién puede tener una vida tan fantástica?

CANCIÓN

Quiero bailar

Los fines de semana quiero bailar
Los fines de semana quiero gozar
Los fines de semana no son pa' trabajar
Los fines de semana, reír y amar...

Mis padres me preguntan
adónde voy,
por qué no estoy en casa
o viendo televisión.

Pero yo les digo:
el lunes, martes, miércoles
tengo colegio,
el jueves y el viernes,
qué lástima,
también.
Pero el sábado y el
domingo
son el fin de semana y
no quiero trabajar más.

Porque...
los fines de semana quiero bailar
Los fines de semana quiero gozar
Los fines de semana no son pa'
trabajar
Los fines de semana, reír y amar...

LA PEÑA DEL GARAJE

¿A QUÉ JUGAMOS?

sesenta y tres 63

Y conocerás las historias, en forma de **cómic**, de un grupo de amigos: *La peña del garaje*.

¿CÓMO ES **GENTE JOVEN NUEVA EDICIÓN**?

En la página de ***Nuestro proyecto*** encontrarás el proyecto o los proyectos de la unidad. Para realizarlos vas a necesitar poner en juego varias competencias y usar lo que has aprendido en las páginas anteriores.

Puedes hacer y presentar los proyectos usando las nuevas tecnologías (filmando, grabando, con ordenador y con el proyector de la clase...). O si lo prefieres, también los puedes hacer con rotuladores, cartulinas, disfraces... y siempre tendrás que hablar con tus compañeros para realizarlos y para presentarlos a la clase.

Al terminar la unidad, el profesor podrá **evaluar** si eres capaz de poner en práctica todo lo que has aprendido. Para ello deberás usar las cinco competencias básicas: la **comprensión escrita**, la **comprensión oral**, la **expresión escrita**, la **expresión oral** y la **interacción oral**.

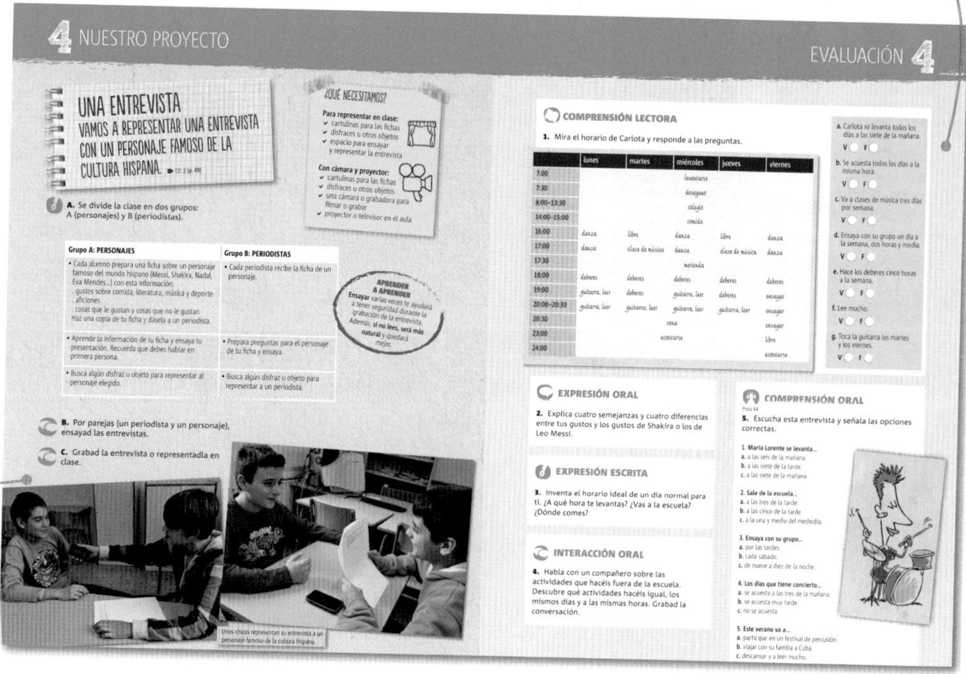
4 NUESTRO PROYECTO

UNA ENTREVISTA

VAMOS A REPRESENTAR UNA ENTREVISTA CON UN PERSONAJE FAMOSO DE LA CULTURA HISPANA.

A. Se divide la clase en dos grupos: A (personajes) y B (periodistas).

B. Por parejas (un periodista y un personaje), ensayad las entrevistas.

C. Grabad la entrevista o representadla en clase.

EVALUACIÓN 4

COMPRENSIÓN LECTORA

1. Mira el horario de Carlota y responde a las preguntas.

EXPRESIÓN ORAL

2. Explica cuatro semejanzas y cuatro diferencias entre tus gustos y los gustos de Shakira o los de Leo Messi.

EXPRESIÓN ESCRITA

3. Inventa el horario ideal de un día normal para ti. ¿A qué hora te levantas? ¿Vas a la escuela? ¿Dónde comes?

INTERACCIÓN ORAL

4. Habla con un compañero sobre las actividades que hacéis fuera de la escuela. Descubre qué actividades hacéis igual, los mismos días y a las mismas horas. Grabad la conversación.

COMPRENSIÓN ORAL

5. Escucha esta entrevista y señala las opciones correctas.

En el resumen de ***Gramática y comunicación*** podrás consultar tus dudas y también encontrarás más ejemplos de todos los recursos que necesitas para comunicarte en español.

RESUMEN GRAMATICAL

LA SÍLABA TÓNICA Y LOS ACENTOS

LOS ARTÍCULOS

LOS NOMBRES: GÉNERO

LOS NOMBRES: NÚMERO

MI VOCABULARIO ESENCIAL

EVALUACIÓN

3. ¡SOMOS GENIALES!

¿CÓMO ES?

ESTA ES MI GENTE

En ***Mi vocabulario*** vas a encontrar las palabras más importantes del libro ordenadas por unidades y alfabéticamente.

Al final del libro tienes los ***Mapas culturales, físicos y políticos*** de España y de Hispanoamérica para consultar siempre que lo necesites.

En la **web de Gente joven Nueva edición** encontrarás actividades interactivas de léxico y gramática, ejercicios para trabajar con los audios y los vídeos y otros materiales que te van a ayudar a seguir aprendiendo.

http://gentejoven.difusion.com

ÍNDICE

ÍNDICE

COMPETENCIAS COMUNICATIVAS	LÉXICO Y FONÉTICA	CULTURA Y CIVILIZACIÓN	
• Algunas fórmulas para saludar y despedirse. • Recursos para gestionar la comunicación en el aula: **No lo entiendo**; **¿Cómo se llama esto en español?**...	• Los números del 0 al 10. • Objetos de uso cotidiano en la clase: **bolígrafo**, **libreta**...	• Don Quijote y Sancho Panza, Miguel de Cervantes, Pablo Picasso, Salvador Dalí, Antoni Gaudí, el Che Guevara, Penélope Cruz, los futbolistas de la selección española de fútbol.	• Los mariachis, el tango. • Los Andes, el Aconcagua, las islas Galápagos, el Perito Moreno. • Los restos arqueológicos de Tikal, la Sagrada Familia. • Los tacos, la paella.

GRAMÁTICA	LÉXICO	FONÉTICA	CULTURA Y CIVILIZACIÓN
• El presente de los verbos **llamarse**, **hablar**, **ser** y **tener**. • El singular y el plural de los nombres y adjetivos. • La negación. • Las nacionalidades: formas masculinas y femeninas.	• El abecedario. Deletrear. • Los números hasta el 20.	• La división de las palabras en sílabas. • Tipos de palabras según la sílaba tónica.	• Nombres y apellidos en español. • Los países y las ciudades donde se habla español. • La cantidad de hablantes del español en el mundo. • El uso de dos apellidos en España.
• **Hay** y **no hay**. • **Gustar** + sustantivo singular / plural. • Los artículos determinados. • Las formas en singular de los posesivos. • El género de los nombres.	• Las partes del día: **por la mañana**, **al mediodía**, **por la tarde** y **por la noche**; • Léxico para hablar de la escuela (asignaturas, lugares...). • La preferencia con **favorito/a**.	• La pronunciación y la escritura del sonido [x] (cole**g**io, **j**amón).	• La escuela en España: asignaturas, partes del colegio, tipos de centro y sistema educativo (IES, ESO...). • Una escuela para artistas en Argentina. • La escuela de un circo español. • Un poema de Gloria Fuertes. • El personaje de Mafalda.
• Los posesivos. • Los cuantificadores: **muy**, **bastante**, **no... muy**, **un poco...** y **no... nada**. • El género y el número de los adjetivos. • La concordancia de los nombres. • Los conectores: **y**, **pero**, **ni... ni**.	• Léxico para hablar del aspecto físico y de la familia.	• La pronunciación y la escritura de los sonidos [r] (**r**ojo) y [ɾ] (ca**r**a).	• Formas de designar a los padres en español de América Latina y de España. • El pintor Fernando Botero. • *Las Meninas*, de Diego Velázquez.

ÍNDICE

GRAMÁTICA	LÉXICO	FONÉTICA	CULTURA Y CIVILIZACIÓN
• El presente de indicativo de los verbos regulares. • Algunos presentes irregulares: **hacer**, **jugar**, **salir** e **ir**. • Algunos verbos reflexivos: **levantarse** y **acostarse**. • **Gustar** + sustantivo / infinitivo. • **También** / **tampoco**. • Expresar frecuencia: **todos los días**, **un día por semana**, **tres horas al día**, **los jueves**, **a veces**, **no... nunca**.	• Los números del 20 al 100. • Léxico para hablar de actividades y aficiones. • Las horas y los días de la semana.	• La pronunciación y la escritura de las letras **z**, **s** y **c**.	• Personajes famosos hispanohablantes: el futbolista argentino Leo Messi y la cantante colombiana Shakira. • Los horarios de las comidas del día en España. • Estilos musicales latinos: el tango, las rancheras, el flamenco, la salsa...
• El verbo **estar**. • La preposición **para**. • Los artículos indeterminados: **un**, **una**, **unos**, **unas**. • Los demostrativos: **este**/-**a**/-**os**/-**as**, **esto**, **ese**/-**a**/-**os**/-**as**, **eso**. • Los posesivos tónicos en singular: **el mío**, **el tuyo**, **el suyo**... • Frases exclamativas con **qué**. • La concordancia del adjetivo calificativo.	• Adjetivos para calificar ropa: **grande**, **pequeño**, **caro**, **barato**... • Los colores. • Los meses del año. • Las fechas.	• La pronunciación de la **b** y la **v**.	• La celebración del día del santo, en España. • La celebración del día de Reyes. • El pintor Joan Miró. • Una campaña de consumo responsable de ropa. • La celebración del quinceavo cumpleaños en muchos países latinoamericanos.
• El pretérito perfecto. • El presente para hablar del futuro. • La perífrasis **ir a** + infinitivo. • La impersonalidad con **se**. • Las frases relativas. • Los superlativos. • Marcadores y preposiciones de lugar: **en**, **al norte** / **sur de**...	• Los números a partir del 100. • Léxico para hablar del tiempo, del clima y de las estaciones. • Léxico sobre viajes, geografía y medios de transporte. • Adjetivos para describir lugares: **bonito**, **precioso**, **increíble**...	• Los sonidos de las letras **ch**, **y**, **ll** y **ñ**.	• Paisajes y monumentos de países latinoamericanos: el Salto del Ángel, los moáis, los restos arqueológicos de Chichén Itzá y de Machu Picchu... • Principales accidentes geográficos de los países latinoamericanos. • Algunos aspectos de Nicaragua. • Las lenguas indígenas de América central y del sur: el **quechua**, el **guaraní**, el **aimara** y el **náhuatl**. • Las **vacaciones** escolares en España.

• Resumen gramatical • Recursos para la comunicación

• Mi vocabulario esencial (por unidades) • Mi vocabulario A-Z • Glosario de términos gramaticales

• Mapas culturales • Mapas políticos • Mapas físicos

unidad 0
¿VAMOS?

1

2

3

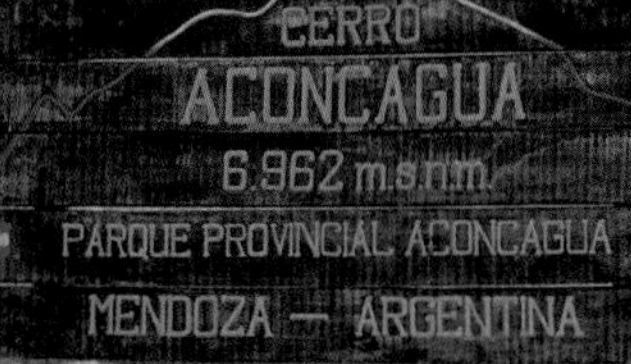

4

6

5

7

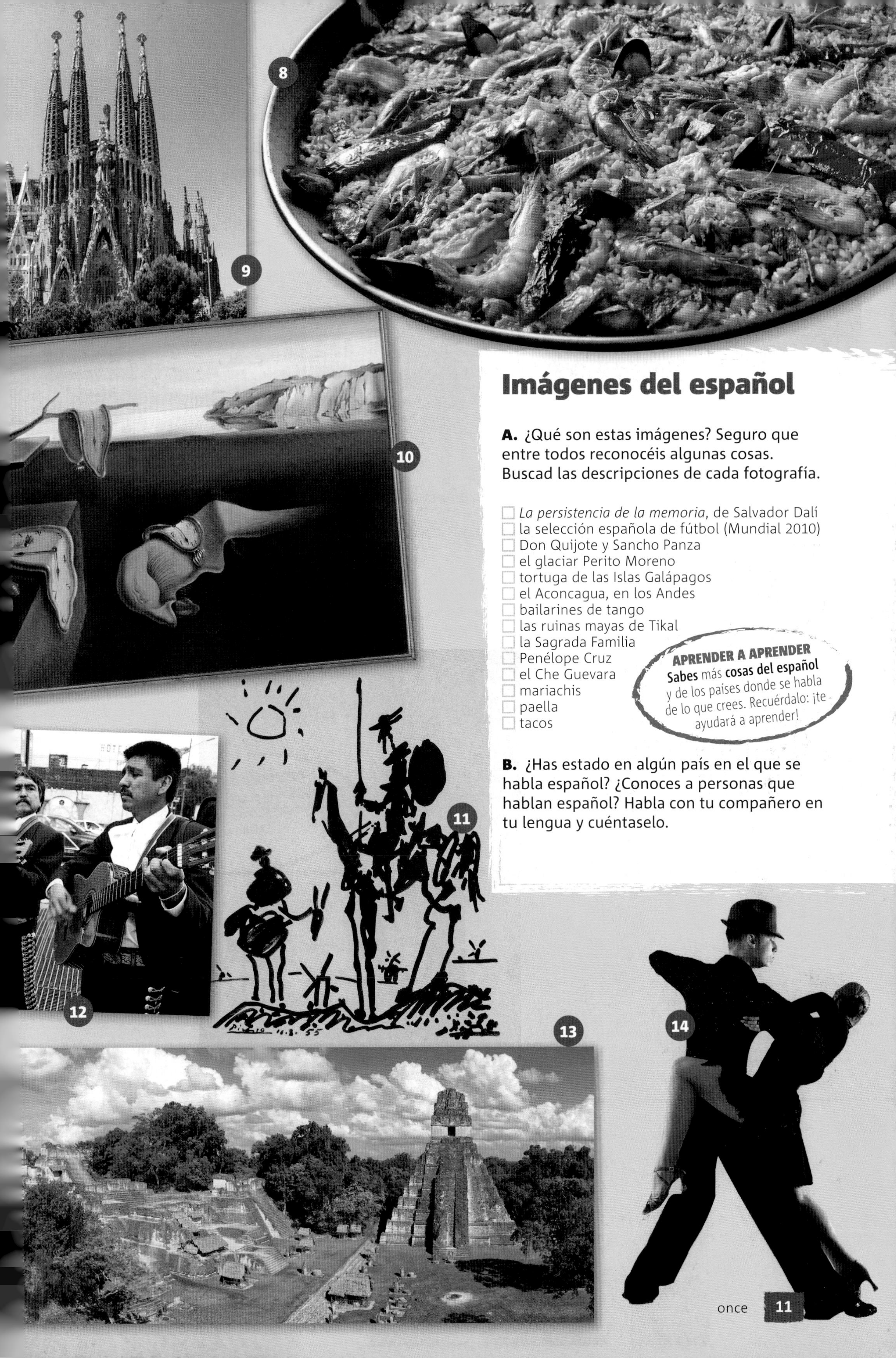

Imágenes del español

A. ¿Qué son estas imágenes? Seguro que entre todos reconocéis algunas cosas. Buscad las descripciones de cada fotografía.

- ☐ *La persistencia de la memoria*, de Salvador Dalí
- ☐ la selección española de fútbol (Mundial 2010)
- ☐ Don Quijote y Sancho Panza
- ☐ el glaciar Perito Moreno
- ☐ tortuga de las Islas Galápagos
- ☐ el Aconcagua, en los Andes
- ☐ bailarines de tango
- ☐ las ruinas mayas de Tikal
- ☐ la Sagrada Familia
- ☐ Penélope Cruz
- ☐ el Che Guevara
- ☐ mariachis
- ☐ paella
- ☐ tacos

APRENDER A APRENDER
Sabes más **cosas del español** y de los países donde se habla de lo que crees. Recuérdalo: ¡te ayudará a aprender!

B. ¿Has estado en algún país en el que se habla español? ¿Conoces a personas que hablan español? Habla con tu compañero en tu lengua y cuéntaselo.

1. ¿Es español?

APRENDER A APRENDER
Seguro que has oído hablar o cantar en español. **¡Ya lo reconoces!**

Escucha a estas personas. ¿Cuál de ellas habla en español? ¿Reconoces alguno de los otros idiomas?

Pistas 01-05

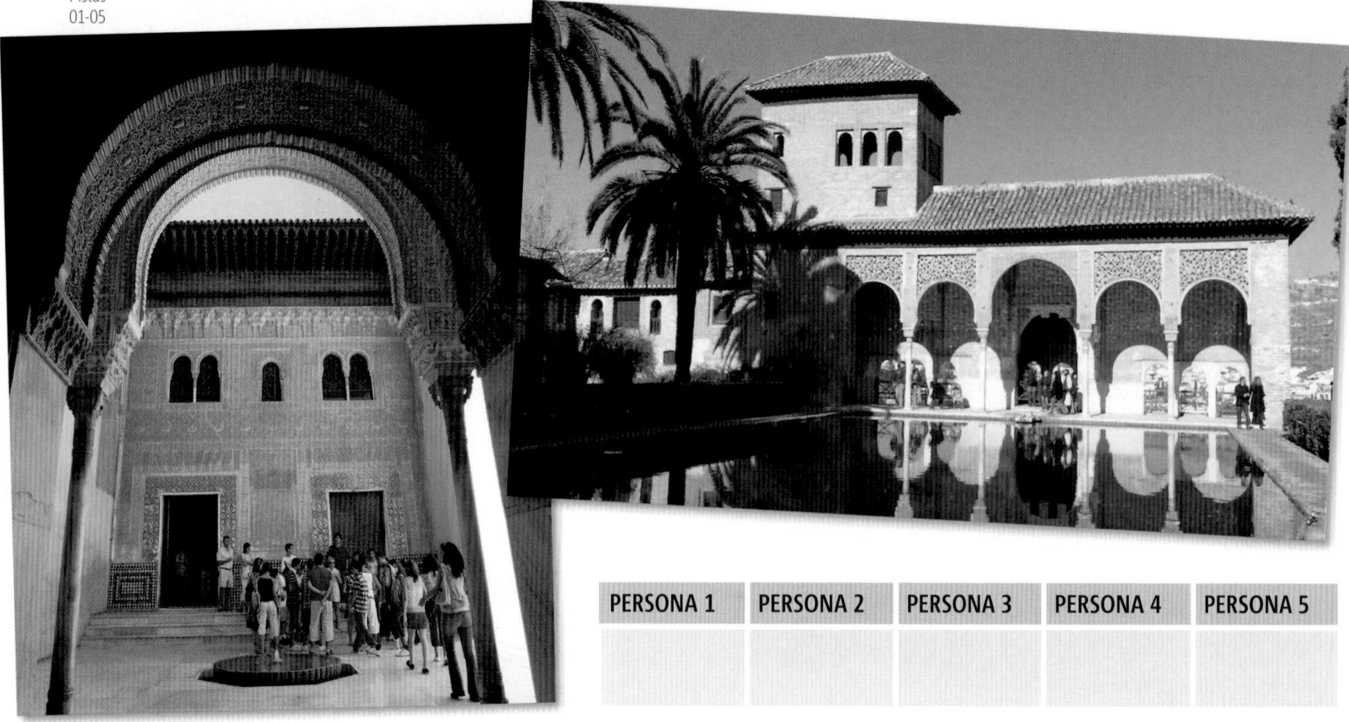

PERSONA 1	PERSONA 2	PERSONA 3	PERSONA 4	PERSONA 5

2. ¿Dónde están?

¿Dónde están las personas que hablan? ¿De qué pueden hablar?

Pistas 06-09

APRENDER A APRENDER
Casi siempre puedes hacer hipótesis sobre el contenido de una conversación a partir de los **elementos del contexto** en que esta tiene lugar.

3. La canción del 1 al 10

Pista 10

A. Escuchad y repetid los números con los distintos ritmos de la canción.

B. Ahora cantad los números de memoria siguiendo las melodías y los ritmos que habéis escuchado.

APRENDER A APRENDER
La **música** y el **ritmo** son elementos que ayudan a fijar una lengua en la memoria. Úsalos siempre que puedas.

4. Vocabulario

Pista 11

A. Aquí tienes una imagen con los objetos de la clase. Mírala durante un minuto, escucha las palabras en el audio e intenta memorizar el vocabulario. Luego, cierra el libro y escribe la lista de objetos en tu cuaderno.

B. ¿Qué es lo que más te ha ayudado a memorizarlos? Completa la lista con un compañero.

- Escucharlos.
- Recordar el dibujo.
- Escribir los nombres.
- Repetirlos en voz alta.
- ...

APRENDER A APRENDER
Si sabes qué te **ayuda a memorizar**, serás capaz de hacerlo con mayor eficacia.

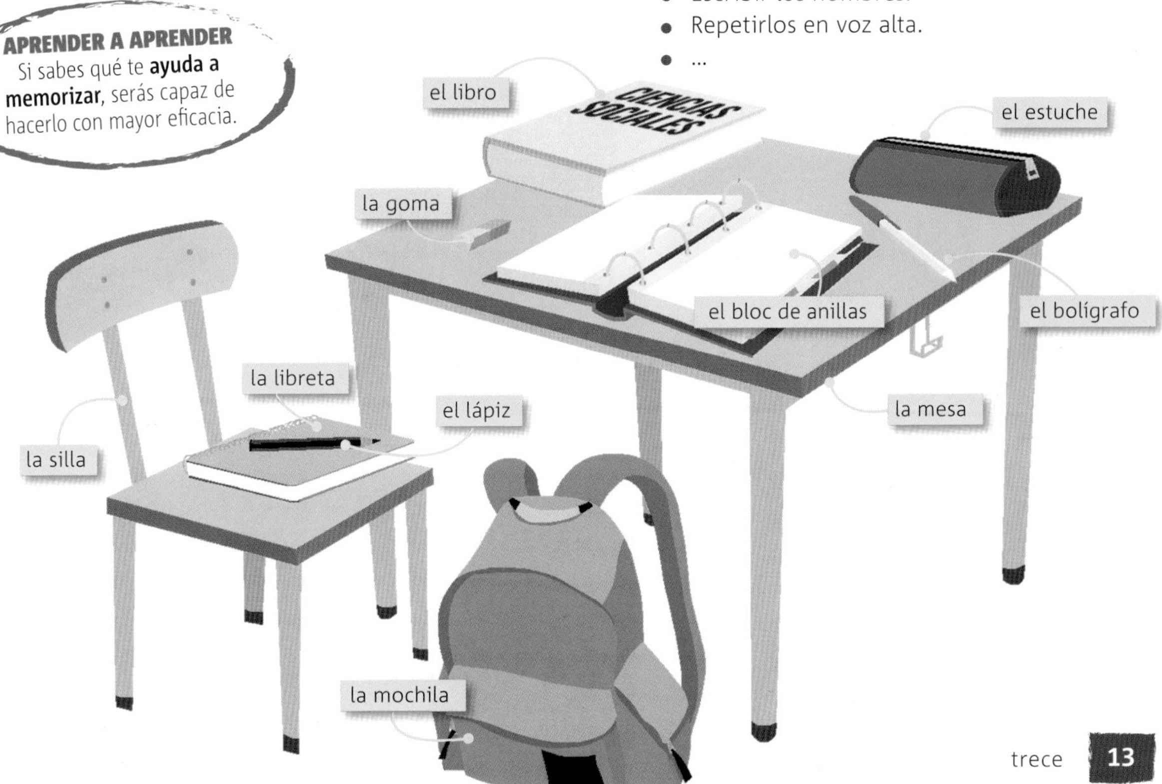

5. Usa tu lógica

¿Qué número es cada objeto?

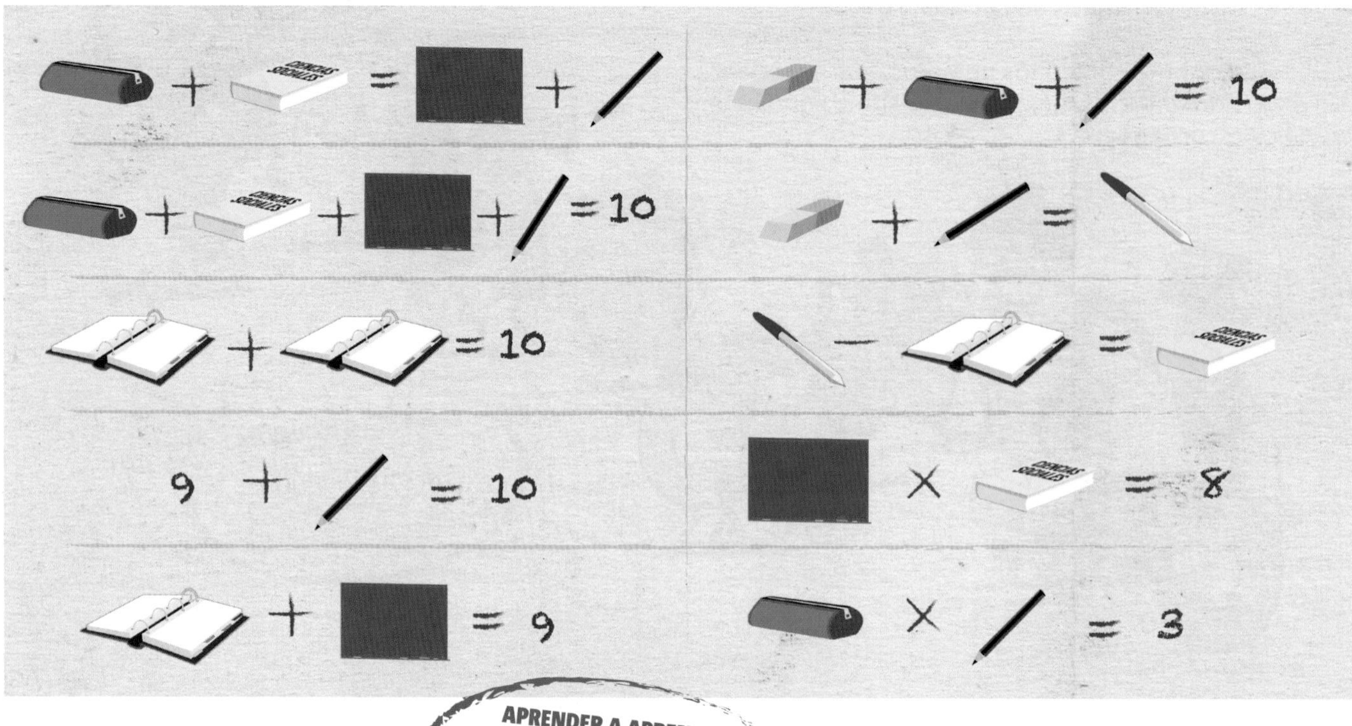

El libro es el dos.
La goma es ...

APRENDER A APRENDER
Una lengua tiene siempre una **parte lógica**. Úsala para hacer las actividades relacionadas con la gramática.

6. Mensajes

¿Qué dicen estos mensajes?
¿Dónde puedes encontrarlos?

7. Me gusta hablar

Escucha y une los diálogos y las frases con las imágenes. Luego, repítelos.

Pistas 12-16

APRENDER A APRENDER
Para aprender una lengua extranjera, **habla** desde el primer día de clase y atrévete a cometer errores. **No tengas miedo**: ¡es divertido!

A

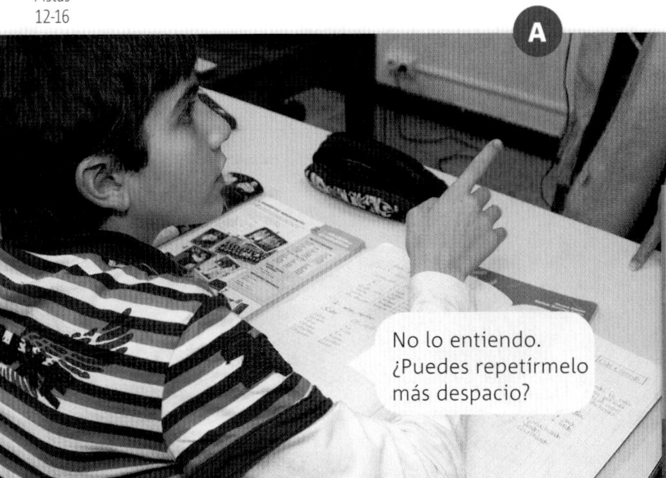

B

C

D

E

APRENDER A APRENDER
En un texto en español puedes comprender muchas cosas si te fijas en los **elementos que lo acompañan**: el tipo de documento que es, el título, las imágenes, los pies de las imágenes...

8. ¡Puedo leer en español!

Con un compañero, observad los documentos y responded a las preguntas en vuestro idioma.

1. ¿Qué es cada documento? ¿Dónde se puede encontrar? ¿Qué informaciones ofrece?
2. Encontrad al menos diez palabras que podéis comprender. ¿Qué os ha ayudado a comprender su significado?
3. ¿Qué relación hay entre las palabras **navegación**, **navega** y **navegando**?
4. ¿Qué es RUMBO SUR? ¿Cómo podéis encontrar más informaciones?

A

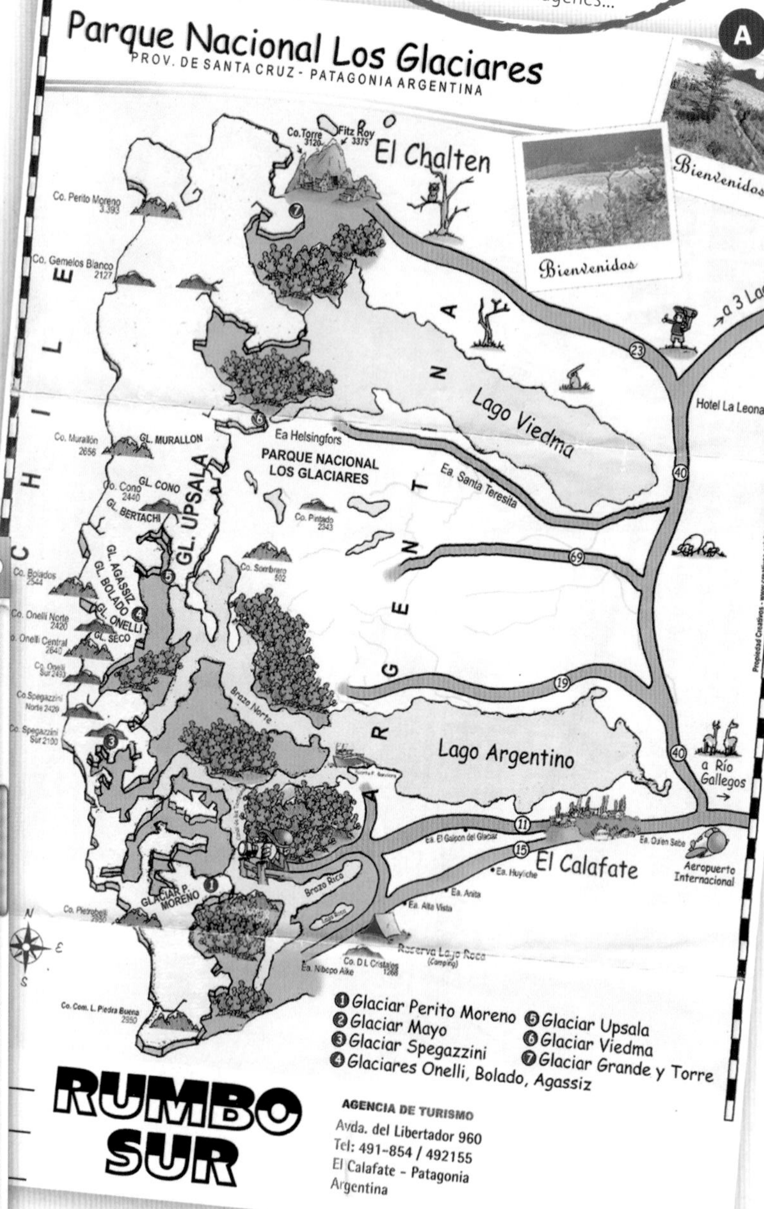

B

CRUCERO MARPATAG

Día 1
Salida a las 9.00 h desde Puerto Bandera. Navegación hasta Punta Avellaneda, tomando el Brazo Norte del Lago Argentino. Luego, se continúa por el Canal Upsala para navegar entre los témpanos y aproximarse a la pared del glaciar. Se continúa después hacia el Canal de las Américas donde nos detendremos a almorzar. Por la tarde se sigue navegando hasta el Glaciar Spegazzini y más tarde se recala en Puerto Vacas (dentro del Canal Spegazzini) para dormir. Cena.

Día 2
Desayuno y navegación hasta Punta Avellaneda, tomando el Canal de los Témpanos para hacer la visita al Glaciar Perito Moreno. Almuerzo en Bahía Alemana. Por la tarde, navegación de regreso y trago de despedida. A las 17.00 h desembarco.

NOTA: RUTA SUJETA A MODIFICACIONES SEGÚN LO CREA CONVENIENTE EL CAPITÁN PARA MAYOR SEGURIDAD DE LOS PASAJEROS. LA TARIFA INCLUYE TRASLADOS DESDE Y HASTA EL CENTRO DE "EL CALAFATE".

C

D

Pampa de las Carretas, en el Parque Nacional Los Glaciares.

¿En qué ejercicio estamos?
Página 15, ejercicio 2.
eres
él es
nosotros som
vosotros s
ellos s
¿Cómo se llama esto en español?
¿Puedes volverlo a explicar? No lo entiendo.
¿Podemos usar el diccionario?
¿Puedes hablar más despacio, por favor?
¿Qué significa "cuaderno"?
¿Cómo se escribe "bolígrafo"? ¿Con be o con uve?
¿Cómo se deletrea "apellido"?
¿Puedes escribirlo en la pizarra, por favor?
¿"Nariz" lleva acento?
¿Puedes hablar más alto, por favor?
¿Puedo ir al servicio?

unidad 1
TÚ Y YO

NUESTRO PROYECTO: VAMOS A REALIZAR UN CARTEL Y A ESCRIBIR LA LETRA DE UN RAP CON INFORMACIÓN SOBRE NOSOTROS.

VAMOS A...

- leer las presentaciones de distintos chicos y chicas;
- escuchar nombres de personas españolas; escuchar las presentaciones de distintos chicos y chicas;
- chatear, rellenar formularios y escribir un texto con información sobre una persona;
- presentarnos y dar información personal;
- preguntar y responder sobre datos personales;
- ver cómo una persona se presenta en su videoblog.

VAMOS A APRENDER...

- el presente de los verbos **llamarse**, **hablar**, **ser** y **tener**;
- el singular y el plural de los nombres y los adjetivos;
- la negación;
- las nacionalidades: formas masculinas y femeninas;
- los números hasta el 20;
- a deletrear (el abecedario);
- la división de palabras en sílabas;
- tipos de palabras según la sílaba tónica.

MI CASA

Calle Marcenado, Madrid

¿Sí o no?

Completa la tabla sobre Amaya.

	sí	no	no lo sé
Es de origen argentino.			
Tiene 11 años.			
Tiene dos perros.			
Vive en Madrid, en España.			
Habla español, inglés e italiano.			
Su teléfono es el 688 773 561.			

1. El primer día de clase ▶ CE: 1 (p. 5)

A. ¿Conoces algún nombre o apellido español?

Pista 17

B. El profesor pasa lista. Hay tres alumnos que no están. ¿Quiénes son?

IES Antonio Machado 1º ESO Grupo B

Fecha: ______

Eugenia Alonso Arija	☑
Iñaki Arrizabalaga Garmendia	☐
David Blanco Gutiérrez	☐
Martín Blanco Gutiérrez	☐
Lorena Cañas Aral	☐
Alba Casado Gil	☐
Luna Rico	☐
Pablo Márquez Ruiz	☐
Cristina Martínez Verdú	☐
Fátima Massana Nasret	☐
Jonathan Pérez Nanotti	☐
Paula Rojo Azcárate	☐
Joaquín Vázquez Robles	☐
Javier Vázquez Cembrero	☐

C. ¿Sabes qué nombres de la lista son de chico y qué nombres son de chica? Con un compañero trata de clasificarlos.

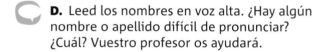

Eugenia es un nombre de chica, ¿no?

D. Leed los nombres en voz alta. ¿Hay algún nombre o apellido difícil de pronunciar? ¿Cuál? Vuestro profesor os ayudará.

¿SABES QUE...?

Los españoles utilizan dos **apellidos**: el del padre y el de la madre. El hijo de Eduardo **Sánchez** Vela y Cristina **Coloma** Marín se llama Óscar **Sánchez Coloma**. Algunas personas ponen primero el apellido de la madre (Óscar Coloma Sánchez).

COMUNICACIÓN ▶ CE: 2 (p. 14)

buscar (en internet)

mirar (una imagen)

escribir

escuchar

leer

hablar

EL ABECEDARIO

A la **a**	K la **ka**	T la **te**
B la **be**	L la **ele**	U la **u**
C la **ce**	M la **eme**	V la **uve**
D la **de**	N la **ene**	W la **uve doble**
E la **e**	Ñ la **eñe**	X la **equis**
F la **efe**	O la **o**	Y la **i griega**
G la **ge**	P la **pe**	Z la **zeta**
H la **hache**	Q la **cu**	
I la **i**	R la **erre**	
J la **jota**	S la **ese**	

Bogotá

México D. F.

La Habana

2. ¿Con be o con uve?

CE: 13 (p. 11)

A. ¿Qué ciudades de Centroamérica y de Sudamérica conoces? En grupos, haced una lista.

Pista 18

B. Completa la lista con las ciudades que escuches.

C. Relaciona las ciudades de tu lista con el país correspondiente. Puedes buscarlo en internet.

CIUDAD	PAÍS

¿SABES QUE...?

El español tiene más de **400 millones de hablantes**. Por eso tiene muchas variantes con **diferencias en la pronunciación, en el vocabulario**... A lo largo del curso escucharemos a hablantes de zonas distintas.

3. ¿Cómo se escribe?

CE: 2 (p. 5)

A. ¿Puedes deletrear tu nombre y tu apellido?

Alberto: a, ele, be, e, erre, te, o.

B. En grupos de cuatro: uno de vosotros empieza a deletrear el nombre de una persona famosa hasta que alguien lo adivine. ¡El grupo que necesite menos letras gana!

- E, i, ene, ese, te, e...
- ¡Einstein!
- Sí.
- Vale, seis letras.

DELETREAR

- ***¿Cómo se escribe*** *tu apellido?*
- *Ele, o, pe, e, zeta: López.*

¿Se escribe ***con*** *be o* ***con*** *uve?*
con *mayúscula / minúscula?*
con *acento?*
junto o separado?

SÍ Y NO

- *¿Bogotá es la capital de Colombia?*
- ***Sí.***

- *¿Rosario es la capital de Argentina?*
- ***No****, es Buenos Aires.*

MINIPROYECTO

Seguro que conocéis alguna palabra en español. ¡Cerrad los libros, levantaos y escribidlas en la pizarra! Luego, podéis hacer carteles con las palabras más importantes para colgarlos en la clase.

AMIGO

4. ¿Quién es quién? CE: 3, 4 (p. 6)

Busca a estas personas en el dibujo y después escribe sus nombres y los números en tu cuaderno.

Se llama Thomas, es alemán y tiene 12 años.
Se llama Ricardo, es portugués y tiene 13 años.
Se llama Monique, es francesa y tiene 14 años.
Se llama David, es inglés y tiene 15 años.
Se llama Silvia, es española y tiene 16 años.
Se llama Igor, es ruso y tiene 17 años.
Se llama Keiko, es japonesa y tiene 18 años.
Se llama Paolo, es italiano y tiene 19 años.
Se llama Emma, es holandesa y tiene 20 años.

Thomas es el número...

5. ¿En cuántos países se habla español?

CE: 12 (p. 10)

Pista 19

Escucha y, luego, contesta a estas preguntas. Escribe las respuestas en tu cuaderno.

a. ¿De dónde es Marta?
b. ¿Cuántos años tiene Pedro?
c. ¿Joaquín tiene hermanos?
d. ¿Cuál es el número de teléfono de Marcos?

APRENDER A APRENDER
Cuando escuches, no intentes entender todas las palabras. Fíjate solamente en la **información que necesitas**.

DATOS PERSONALES CE: 1 (p. 15)

Biblioteca Miguel de Cervantes

NOMBRE: PEDRO
APELLIDOS: MARTÍNEZ ARROYO
LUGAR DE NACIMIENTO: RONDA (MÁLAGA)
FECHA DE NACIMIENTO: 06-05-1994
DOMICILIO: C/ ZURBANO, 14, 28010 MADRID
CORREO ELECTRÓNICO: PEDRI@HISPAMAIL.COM

INFORMACIÓN PERSONAL CE: 9 (p. 8), 10 (p. 9)

- **¿Cómo te llamas?**
- ❍ (**Me llamo**) *Javi.*

- **¿De dónde eres?**
- ❍ (**Soy**) *italiano/a.*

- **¿Cuántos años tienes?**
- ❍ (**Tengo**) *doce* **años.**

- **¿Cuál es tu número de teléfono?**
- ❍ (**Es el**) *914 859 584.*

- **¿Tienes móvil?**
- ❍ **Sí,** (**es el**) *678 843 679.*

- **¿Tienes correo electrónico?**
- ❍ **Sí,** *alicia@hispamail.es.*

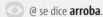

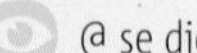 @ se dice **arroba**.

- **¿Hablas** *inglés?*
- ❍ **Sí, un poco.**
- ❍ **No.**

6. ¡Hola, soy Tina!

CE: 11 (p. 10) y 4 (p. 13)

A. Mira estas presentaciones. ¿Cómo se llaman las chicas? ¿Y los chicos?

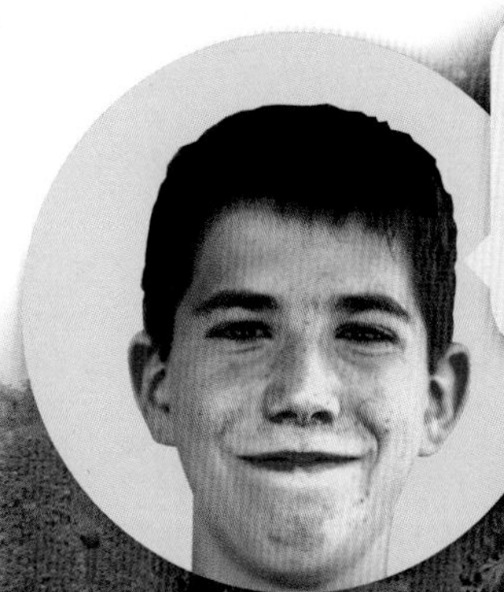

¡Hola! ¿Qué tal? Me llamo Martín. Hablo español y alemán porque mi madre es alemana y mi padre chileno. Soy alemán y chileno.

Me llamo Tina. Tengo trece años. Mis padres son argentinos. Yo soy española y argentina. Tengo dos gatos que se llaman Luna y Sol.

¡Hola! Yo soy Alejo. Tengo catorce años. Tengo un perro que se llama Fiel.

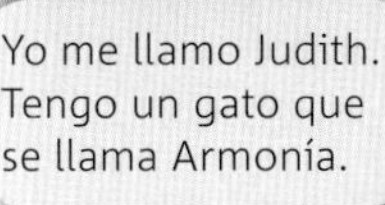

Yo me llamo Judith. Tengo un gato que se llama Armonía.

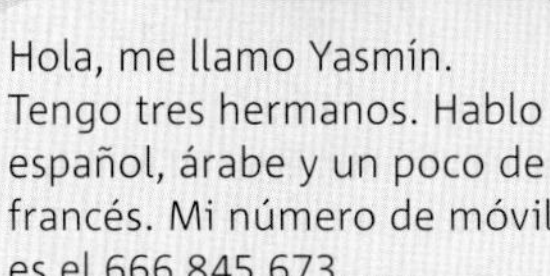

Hola, yo soy Sam. Mi número de teléfono es el 972 843 898.
Hola, me llamo Yasmín. Tengo tres hermanos. Hablo español, árabe y un poco de francés. Mi número de móvil es el 666 845 673.

Parque del Buen Retiro. Madrid

Pistas 20-25

B. Escucha y lee los textos. Con la información que tienes, completa:

1. Dos personas que tienen gatos: ...... y ....
2. Una persona que tiene un perro: ....
3. Una persona que no es española: ....
4. Dos personas que tienen dos nacionalidades: ...... y ....
5. Dos personas que hablan dos o más idiomas: ...... y ....

APRENDER A APRENDER

Escuchar y leer al mismo tiempo te ayuda a reconocer las palabras y a aprender cómo se pronuncian cuando no están solas.

LOS NÚMEROS DEL 0 AL 20

CE: 3 (p. 14)

0 **cero**	
1 **uno**	11 **once**
2 **dos**	12 **doce**
3 **tres**	13 **trece**
4 **cuatro**	14 **catorce**
5 **cinco**	15 **quince**
6 **seis**	16 **dieciséis**
7 **siete**	17 **diecisiete**
8 **ocho**	18 **dieciocho**
9 **nueve**	19 **diecinueve**
10 **diez**	20 **veinte**

MINIPROYECTO

Vamos a hacer una estadística de nuestra clase. Tomad notas en la pizarra.

- ¿Quién tiene un gato o un perro?
- ¿Quién tiene dos nacionalidades?
- ¿Quién habla más de un idioma?
- ...

10 alumnos tienen un gato.
7 alumnos tienen un perro.

LLAMARSE, HABLAR, SER Y TENER. LOS PRONOMBRES PERSONALES CE: 5 (p. 7), 8 (p. 8), 9 (p. 21)

	LLAMARSE	HABLAR	SER	TENER
yo	**me** llam**o**	habl**o**	**soy**	ten**go**
tú	**te** llam**as**	habl**as**	**eres**	t**ie**nes
él, ella, usted	**se** llam**a**	habl**a**	**es**	t**ie**ne
nosotros, nosotras	**nos** llam**amos**	habl**amos**	**somos**	tenemos
vosotros, vosotras	**os** llam**áis**	habl**áis**	**sois**	tenéis
ellos, ellas, ustedes	**se** llam**an**	habl**an**	**son**	t**ie**nen

Los pronombres personales de sujeto generalmente se omiten porque las terminaciones marcan las distintas personas.

Si eres una persona joven, lo normal es utilizar **usted** o **ustedes** con todos los adultos desconocidos.

En los países latinoamericanos no se usa **vosotros**. Solo se usa **ustedes**.

1. Completa estas frases con las formas verbales adecuadas.

a. ● Nuria y Jordi, mis amigos españoles, (tener) ...... un perro que (llamarse) ...... Snoopy.
b. ● ¿Cómo (llamarse, tú) ......?
○ Isabel, ¿y tú?
c. ● ¿Cuántos alumnos (ser, vosotros) ...... en la clase de español?
○ Diecinueve.
d. ● ¿De dónde (ser) ...... tu madre?
○ De México.
e. ● Disculpe, ¿usted (hablar) ...... español?
○ Sí, un poco.

EL NÚMERO: SINGULAR Y PLURAL CE: 7 (p. 7), 1 (p. 17)

VOCAL + S	CONSONANTE + es
Si un nombre o adjetivo termina en vocal, se añade **-s**. *idioma* — *idioma**s*** *brasileño* — *brasileño**s***	Si un nombre o adjetivo termina en consonante, se añade **-es**. *profesor* — *profesor**es*** *alemán* — *aleman**es***

2. Escribe el plural de estos adjetivos y nombres.

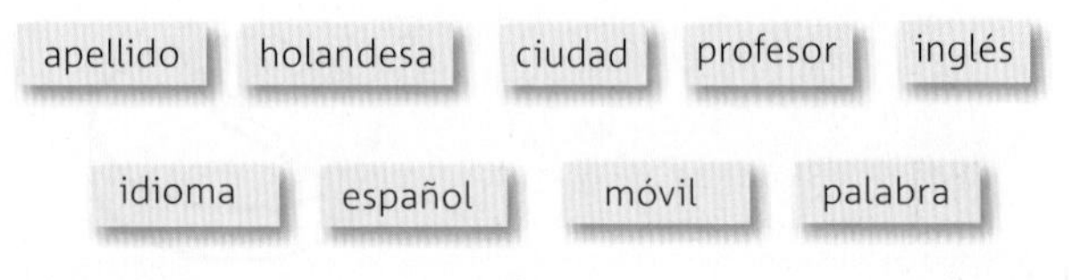

EL MASCULINO Y EL FEMENINO DE LAS NACIONALIDADES

-o / -a	+a	=
Si el masculino termina en **-o**, el femenino termina en **-a**.	Si el masculino termina en consonante, el femenino termina en **-a**.	Si el masculino termina en **-a**, **-e**, **-í** el femenino tiene la misma forma.
*italian**o*** — *italian**a***	*francé**s*** — *frances**a*** *españo**l*** — *español**a***	*marroqu**í*** *belg**a*** *canadiens**e***

3. Forma parejas de la misma nacionalidad. Luego, clasifica las formas según la tabla anterior.

a. Pedro es mexicano.
b. Eva es belga.
c. Carlos es argentino.
d. Lieve es holandesa.
e. Lupe es mexicana.
f. Kees es holandés.
g. Flor es argentina.
h. Daniel es belga.

LA NEGACIÓN

La negación va delante de los verbos.
*Yo **no** tengo perro.*

Muchas veces se repite la negación.
● *¿Eres portuguesa?*
○ ***No, no** soy portuguesa. Soy brasileña.*

4. Contesta a estas preguntas.

a. ¿Eres holandés/a?
b. ¿Estudias alemán?
c. ¿Tienes hermanos?
d. ¿Tienes gatos?
e. ¿Tienes 10 años?

NACIONALIDADES

1. Estos son los países que tienen el español como lengua oficial. Completa lo que falta.

		argentino .... PAÍS:	boliviano .... PAÍS: ....
chileno .... PAÍS:	colombiano .... PAÍS:	costarricense .... PAÍS:	cubano .... PAÍS: ....
ecuatoriano .... PAÍS:	salvadoreño .... PAÍS:	español española PAÍS:	guatemalteco .... PAÍS: ....
guineano .... PAÍS: Guinea ecuatorial	hondureño .... PAÍS:	mexicano .... PAÍS:	nicaragüense .... PAÍS: ....
panameño .... PAÍS:	paraguayo .... PAÍS:	peruano .... PAÍS:	portorriqueño .... PAÍS: ....
dominicano .... PAÍS:	uruguayo .... PAÍS:	venezolano .... PAÍS:	

LA SÍLABA TÓNICA CE: 3 (p. 13), 4 (p. 18)

En español las palabras se pueden dividir en sílabas. Cada palabra tiene una sílaba fuerte (tónica) que puede estar en distintos lugares. Las palabras se clasifican según dónde está esta sílaba.

Palabras agudas: la sílaba tónica es la última.

ha-blar a-diós

Palabras llanas: después de la tónica tienen otra sílaba.

ga-to nom-bre

Palabras esdrújulas: después de la sílaba tónica tienen dos sílabas.

te-lé-fo-no nú-me-ro

En español la mayoría de las palabras son llanas.

Pista 26

1. Escucha estas palabras y divide sus sílabas.

es | cri | bir
madre
español
española
hermano

Cuba
Ecuador
Fátima
nombre
chica

Pista 26

2. Vuelve a escuchar y subraya la sílaba tónica de las palabras anteriores.

LA REVISTA

Famosos que hablan español

¿Los conoces? ¿Sabes de dónde son?

La ñ

Es una de las letras del abecedario español. Se escriben con eñe palabras como:

España **español** **niño** **año** **mañana** **pequeño**

La letra **ñ**, que representa el sonido [ɲ], viene de las palabras latinas que tienen el sonido de la **doble n**, por ejemplo *anno*. La letra **ñ** existe en pocos alfabetos. Tres de ellos son el español, el vasco y el gallego.

Logotipo del Instituto Cervantes

Instituto Cervantes

VÍDEO

El videoblog de Laura

Laura se presenta en su videoblog. Vemos su habitación, sus cosas, a algunas personas de su familia... ¿Te animas a hacer un vídeo como el de Laura?

CANCIÓN

CE: 5 (p. 13)

Se equivoca, se equivoca

Pista 27

Hola. Diga, ¿quién es?
¿Dos, cuatro, cinco, tres?
No, lo siento, aquí no es.
Quiero hablar con Elena.
Pues lo siento, soy Malena.
Quiero hablar con Miguel.
Pues lo siento, soy Rafael.
Hola. Diga, ¿quién es?
¿Dos, cuatro, cinco, tres?
No, lo siento, aquí no es.
Quiero hablar con Cristina.
Pues lo siento, soy Marina.
Quiero hablar con Manuel.
Pues lo siento, soy Gabriel.
Hola. Diga,
¿quién es?

MI FAMILIA, LA PEÑA Y YO

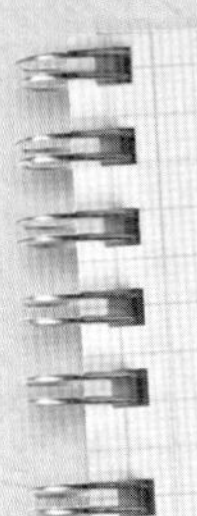

MI RETRATO

VAMOS A REALIZAR UN CARTEL SOBRE NOSOTROS MISMOS.

¿QUÉ NECESITAMOS?

Para colgar en la clase:
- una foto o dibujo nuestro
- recortes de revistas
- una cartulina
- rotuladores
- pegamento y tijeras

Con ordenador y proyector:
- una foto o dibujo digital nuestro
- imágenes digitales
- un programa para hacer presentaciones (Power Point, Keynote...)
- un proyector en clase

Me llamo Jane.
Soy inglesa.
Tengo 12 años.
Hablo inglés y un poco de español.
No tengo hermanos.
Tengo un perro que se llama Momo.
Mi número de teléfono móvil es el 7572363383.
Mi dirección es: 58 Langham Street, Liverpool, Reino Unido.

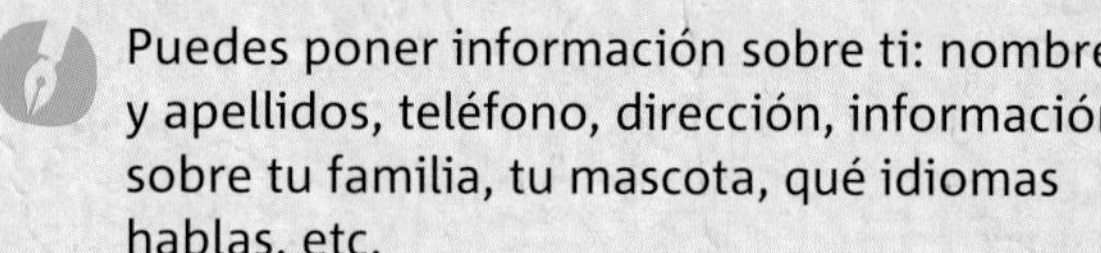

Puedes poner información sobre ti: nombre y apellidos, teléfono, dirección, información sobre tu familia, tu mascota, qué idiomas hablas, etc.

EL RAP DE LA CLASE

VAMOS A ESCRIBIR LA LETRA DE UN RAP SOBRE LOS ALUMNOS DE LA CLASE.

¿QUÉ NECESITAMOS?

Para representar en clase:
- un reproductor de música
- papel y una pizarra

Con grabadora:
- un reproductor de música
- papel y una pizarra
- un móvil o grabadora para grabar la canción

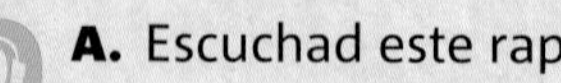

Pista 28

A. Escuchad este rap.

B. Cada alumno en la clase escribe dos frases con su nombre y una información personal. Con las frases de todos, o bien en grupos, se escribe el rap.

Se llama Edith,
tiene 12 años
y es amiga de Judith.
Aquí está Geert.
Tiene una mascota
y habla bien inglés.

APRENDER A APRENDER
Habla, lee o canta sin miedo a equivocarte o a hacer el ridículo: **no tener vergüenza** es muy importante para empezar a hablar una lengua extranjera.

COMPRENSIÓN LECTORA

1. Lee esta biografía y di si estas frases son verdaderas o falsas.

a. La madre de Manu Chao es francesa. V ☐ F ☐
b. Actualmente, Manu Chao vive en París. V ☐ F ☐
c. Manu Chao habla cuatro idiomas. V ☐ F ☐
d. Manu Chao tiene un hermano músico. V ☐ F ☐
e. Manu Chao es español. V ☐ F ☐

Manu Chao (París, Francia, 1960). Sus padres son españoles y él tiene la doble nacionalidad hispano-francesa. Su padre es músico y periodista. Su hermano es también músico, toca la trompeta y, con él y su primo, forma el grupo Mano Negra en 1987.

Manu Chao es un cantautor muy famoso y toca la guitarra. Ahora canta solo o acompañado de una banda llamada Radio Bemba.

Actualmente vive en Barcelona y viaja por todo el mundo para dar conciertos y promocionar sus discos. Sus canciones hablan de amor y también mucho de inmigración y de problemas sociales.

Habla perfectamente francés, español, inglés y portugués.

EXPRESIÓN ORAL

2. Escoge a un famoso del mundo hispano, busca información y preséntalo a la clase. Puedes usar fotos y algunos títulos, pero no escribas el texto. Recuerda decir: nombre, nacionalidad, profesión, edad, idiomas y si tiene hermanos y mascotas.

EXPRESIÓN ESCRITA

3. Completa esta conversación en un chat.

Super 13: ¡Hola! ¿Qué ...... ?
Sergey: Bien, bien, y ¿tú?
Super 13: Te ...... Sergio, ¿no?
Sergey: Sí, y ¿tú?
Super 13: Fátima. Oye, ... estoy en Primero de ESO. ¿Tú qué estudias?
Sergey: Yo también hago Primero. ¿Y cuántos ...... tienes? ¿13?
Super 13: ¡Sííííí!!!!
Sergey: ¿ ...... inglés?
Super 13: ¡A little!!!
Sergey: ¿Tienes correo ...... ?
Super 13: Sí, fromero@comunicacion.es
Sergey: Bueno, me voy porque mañana ...... un examen de Geografía. ¡Adióóóóósssss!
Super 13: Adiós, adiós, ¡ja, ja!

COMPRENSIÓN ORAL

Pista 29

4. Completa la ficha de una asociación deportiva con los datos de Laura.

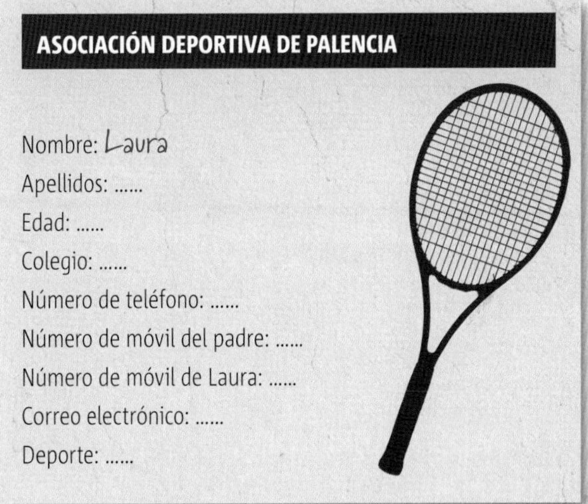

ASOCIACIÓN DEPORTIVA DE PALENCIA

Nombre: Laura
Apellidos: ......
Edad: ......
Colegio: ......
Número de teléfono: ......
Número de móvil del padre: ......
Número de móvil de Laura: ......
Correo electrónico: ......
Deporte: ......

INTERACCIÓN ORAL

5. Invéntate una personalidad nueva: nombre, profesión, edad, nacionalidad, teléfono, correo electrónico, etc. Escribe los datos en una ficha. Después, en parejas, preguntaos la información. Os podéis grabar.

unidad 2

MI COLEGIO

NUESTRO PROYECTO: VAMOS A CREAR UN FOLLETO PUBLICITARIO DEL COLEGIO DONDE NOS GUSTARÍA ESTUDIAR.

VAMOS A...

- leer textos sobre distintos colegios especiales y sobre un personaje conocido; leer un poema;
- escuchar a unos niños y a un profesor que hablan sobre su colegio; escuchar un poema;
- escribir sobre nuestro colegio; hacer un folleto informativo;
- describir un colegio y compararlo con otro; decir las asignaturas que hacemos; presentar nuestro colegio ideal a la clase; describir el colegio de un amigo;
- hablar sobre cuáles son nuestras asignaturas favoritas y sobre lo que nos gusta y lo que no de nuestro colegio;
- ver cómo una profesora enseña el colegio a sus futuros alumnos.

VAMOS A APRENDER...

- **hay** y **no hay**;
- **gustar** + sustantivo singular / plural;
- los artículos determinados;
- las formas en singular de los posesivos;
- el género de los nombres;
- la preferencia con **favorito/-a**;
- las partes del día: **por la mañana**, **al mediodía**, **por la tarde** y **por la noche**;
- léxico para hablar de la escuela (asignaturas, lugares...);
- la pronunciación y la escritura del sonido [x] (cole**g**io, **j**amón).

Clase de un colegio de Ripollet (España).

2

Alumnos de un colegio de Cienfuegos (Cuba).

Chicas con uniforme en el patio de una escuela de Chincha (Perú).

Todos van al cole

A. Observa estas tres fotografías. ¿De dónde son los niños?

B. Completa la tabla (una cruz significa **sí**).

	1	2	3
llevan uniforme			
hablan español			
están en el patio			

EN MI COLEGIO HAY BIBLIOTECA

1. Un colegio del futuro

Este es el colegio Arcadia en el año 3013. ¿Qué hay? ¿Qué no hay? Escríbelo en tu cuaderno.

¿Hay solo niños, solo niñas, o niños y niñas?
¿Hay ordenadores?
¿Hay comedor?
¿Hay patio?
¿Hay transporte escolar?
¿Hay gimnasio?
¿Hay laboratorio?
¿Hay enfermería?
¿Hay campo de fútbol?
¿Hay piscina?
¿Hay profesores?
¿Hay biblioteca?
¿Hay clases de música?
¿Hay libros?
¿Hay pista de tenis?
¿Llevan uniforme?

Hay ordenadores.
No hay libros.

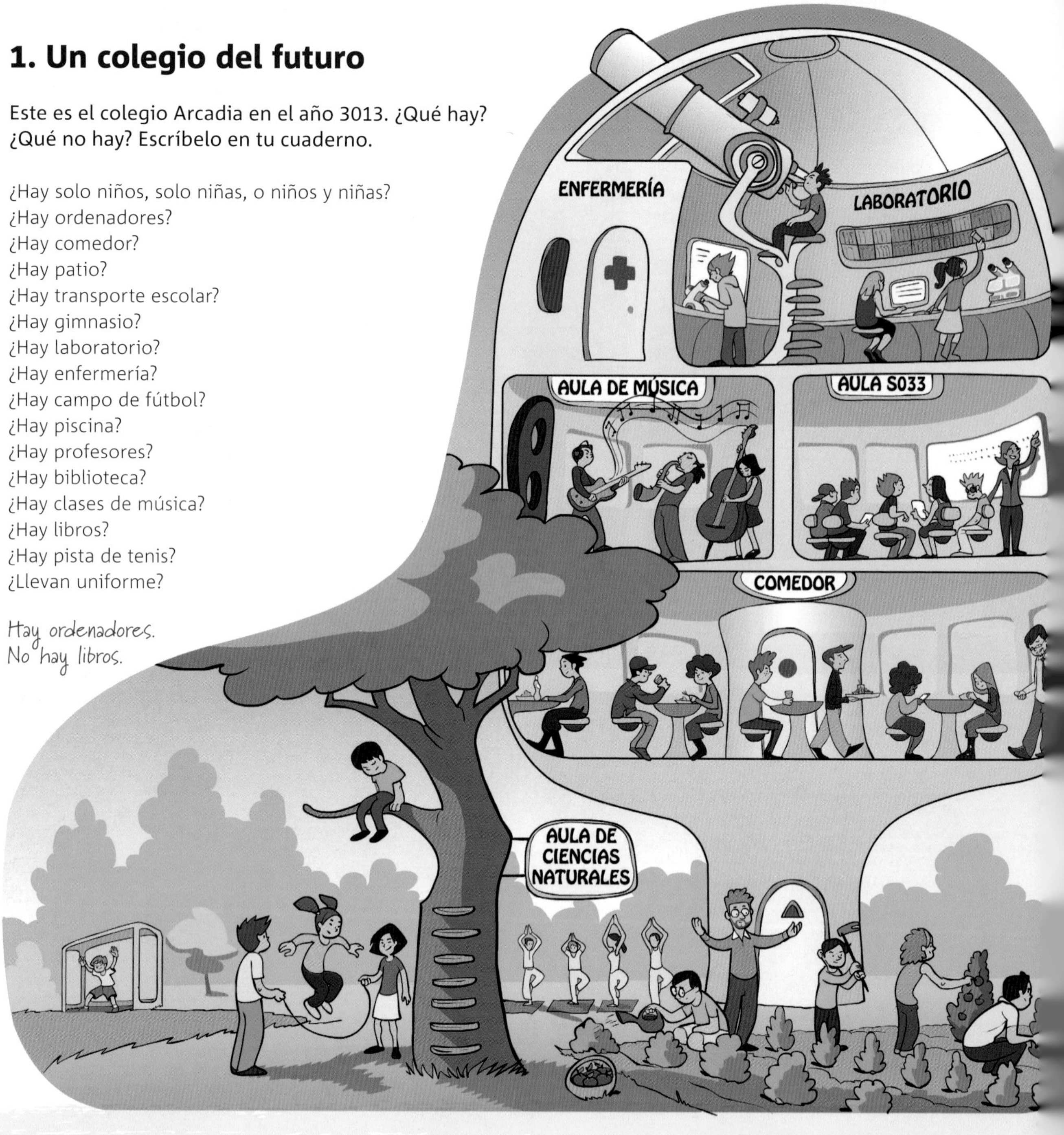

LAS PARTES DEL DÍA

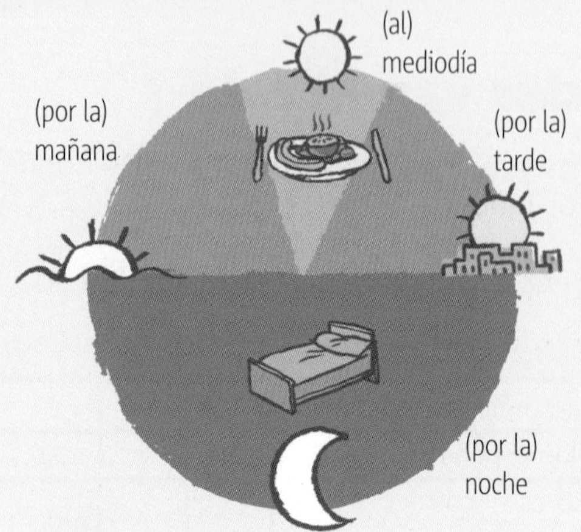

HAY

SINGULAR

*En nuestro colegio **hay** comedor.*
*En nuestro colegio **no hay** piscina.*

PLURAL

*En nuestro colegio **hay** diez aulas.*
*En nuestro colegio **no hay** muchos alumnos.*

TAMBIÉN / TAMPOCO (I)

sí → **también** no → **tampoco**

Sí, también hay comedor.
No, tampoco hay pista de tenis.

- *¿Hay patio?*
- ***Sí, sí hay** (patio).*
- *¿Y biblioteca?*
- ***Sí, también** (hay biblioteca).*
- *¿Y comedor?*
- ***No**, comedor **no hay**.*
- *¿Y pista de tenis?*
- ***Tampoco** (hay pista de tenis).*

APRENDER A APRENDER
Antes de empezar a leer un texto fíjate en el **título** y en las **imágenes** que lo acompañan, y piensa en **lo que ya imaginas** del tema.

2. Un colegio diferente

A. ¿Cómo imaginas el colegio de un circo? Contesta a estas preguntas antes de leer el texto.

- ¿Dónde estudian los niños?
- ¿Hay muchos alumnos?
- ¿Son todos de la misma nacionalidad?
- ¿Tienen todos la misma edad?

NUEVO ESPECTACULO "SALTO MORTAL"
6 NOV. al 12 DIC.
GRAN CIRCO MUNDIAL

B. Ahora lee el texto y vuelve a contestar a las preguntas.

UN COLE EN EL CIRCO

En el Gran Circo Mundial hay muchos artistas: payasos, acróbatas, trapecistas... Y son de muchos países diferentes: México, Alemania, Rusia, Italia... Pero también hay niños. Y los niños necesitan un colegio.

Los hijos de los artistas del circo viajan mucho. Por eso no pueden ir al colegio a ningún pueblo ni ciudad; su colegio está en una caravana del circo y en ella tienen todo lo necesario para las clases: mesas, sillas, ordenadores, pizarra, biblioteca...

En el colegio del circo hay una sola clase con todos los niños y niñas desde los 4 hasta los 16 años: Dora (4 años) es mexicana; Billy (7 años) es inglés; Mikaela (7 años) y Minerva (8 años) son portuguesas; Alberto (11 años), Dani (12 años) y Estrella (16 años) son españoles. Entre ellos hablan muchos idiomas, pero las clases son en español.

Tienen dos profesoras: Myriam es la profesora de los niños pequeños y Pilar es la profesora de los mayores (de 12 a 16 años).

Los niños estudian en el colegio por la mañana; por la tarde, se entrenan y, por la noche, algunos días, tienen actuación. Dani y Alberto, por ejemplo, trabajan con su padre como payasos.

POSESIVOS SINGULAR

MASCULINO	FEMENINO
mi instituto	**mi** escuela
tu instituto	**tu** escuela
su instituto	**su** escuela
nuestro instituto	**nuestra** escuela
vuestro instituto	**vuestra** escuela
su instituto	**su** escuela

MINIPROYECTO

¿Qué hay en vuestro colegio? ¿Qué no hay? En parejas, escribid seis frases que comparen vuestro colegio con el colegio del futuro o con el del circo. Podéis presentarlas con fotografías.

En nuestro colegio también hay ordenadores.
En nuestro colegio no hay caravanas.

ME GUSTAN LAS MATEMÁTICAS

3. Mi asignatura favorita

CE: 7 (p. 19), 8 (p. 20), 2 (p. 26)

A. ¿Con cuáles de estas asignaturas relacionas cada imagen?

- Ciencias Sociales
- Ciencias Naturales
- Expresión Plástica
- Educación Física
- Francés
- Inglés
- Lengua y Literatura Españolas
- Matemáticas
- Informática
- Música

B. ¿Cuáles de estas asignaturas tenéis vosotros? ¿Cuáles no tenéis?

- *Nosotros también tenemos Matemáticas.*
- *Nosotros no tenemos...*

C. ¿Cuál es tu asignatura favorita?

Mi asignatura favorita es...

LA CLASE

LOS ARTÍCULOS DETERMINADOS

el horario	**la** comida
los exámenes	**las** clases

Algunas palabras femeninas que empiezan por **a** van con el artículo **el**: **el a**ula, **el a**gua, **el ha**mbre.

PREFERENCIAS

*Mi asignatura **favorita** es Español.*

4. ¡Me gusta mi escuela!

CE: 2 (p. 17) , 5 y 6 (p. 18), 3 (p. 25)

Pista 30

A. Escucha las opiniones de un chico y de una chica sobre su colegio. ¿Les gustan estas cosas?

	A Lisa...	A Iván...
1. el horario		☹
2. la comida		
3. el profesor de Matemáticas		
4. las excursiones		
5. las clases de Música		
6. los exámenes		
7. el recreo		

 le gusta/n mucho    no le gusta/n   no le gusta/n nada

B. ¿Y a ti? ¿Qué te gusta y qué no te gusta de tu colegio? Escribe tres frases o más.

A mí me gusta/n mucho...
A mí no me gusta/n mucho...
A mí no me gusta/n nada...

¿SABES QUE...?

En España, los alumnos de 12 a 16 años estudian la **Enseñanza Secundaria Obligatoria** (**ESO**). La ESO se estudia en un **Instituto de Educación Secundaria** (**IES**) o en un centro privado.

GUSTAR

SINGULAR

Me gusta mucho
No me gusta — *la comida.* (SUSTANTIVO SINGULAR)
No me gusta nada

PLURAL

*Me gusta**n** mucho*
*No me gusta**n*** — *los exámenes.* (SUSTANTIVO PLURAL)
*No me gusta**n** nada*

MINIPROYECTO

Hacemos una encuesta: ¿Cuál es la asignatura favorita de la clase? Todos la decís y un compañero anota en la pizarra las preferencias de cada uno.

Mi asignatura favorita es Plástica.

2 REGLAS, PALABRAS Y SONIDOS

LOS ARTÍCULOS DETERMINADOS

	MASCULINO	FEMENINO
SINGULAR	**el** colegio	**la** clase
PLURAL	**los** colegios	**las** clases

a + el = **al** — *Vamos **al** laboratorio por la mañana.*
de + el = **del** — *Salimos **del** colegio.*

1. Clasifica estos nombres en masculinos y femeninos y ponles el artículo.

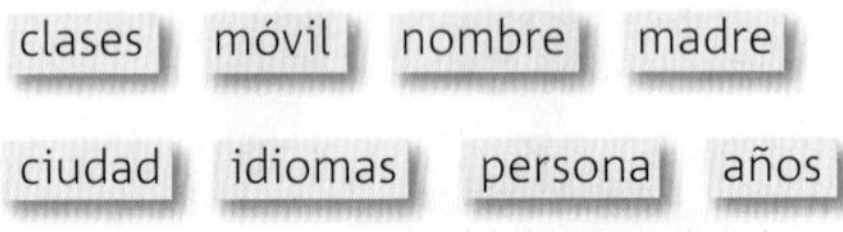

clases
móvil
nombre
madre
ciudad
idiomas
persona
años

EL GÉNERO DE LOS NOMBRES ► CE: 10 (p. 22)

En español hay nombres masculinos y femeninos. Para saber el género de un nombre podemos fijarnos en el artículo que lo acompaña.

Son masculinas las palabras que terminan en...	Son femeninas las palabras que terminan en...
-o el circ**o**, el libr**o** **-aje** el gar**aje**, el lengu**aje** **-or** el ordenad**or**	**-a** la músic**a**, la bibliotec**a** **-ción** la conversa**ción**, la fun**ción** **-sión** la televi**sión** **-dad** la ciu**dad**, la activi**dad**

2. Clasifica las palabras resaltadas en el grupo correspondiente. Si tienes dudas, puedes consultar un diccionario.

a. El patio y el comedor de mi colegio son muy grandes.
b. En la clase hay una pizarra digital y cinco ordenadores.
c. Las asignaturas que más me gustan son Ciencias Sociales y Música.
d. Me gustan las excursiones y no me gustan los exámenes.
e. ¿Dónde están los libros de Historia? ¿En la biblioteca?

MASCULINO / SINGULAR: el patio
FEMENINO / SINGULAR: ....
MASCULINO / PLURAL: ....
FEMENINO / PLURAL: ....

GUSTAR ► CE: 3 (p. 17)

*Me gust**a** mucho la clase de Plástica.* — SINGULAR

*Me gust**an** las clases en el laboratorio.* — PLURAL

(A mí)	**me**	
(A ti)	**te**	
(A él, ella)	**le**	gust**a** el deporte.
(A nosotros/as)	**nos**	gust**an** las Matemáticas.
(A vosotros/as)	**os**	
(A ellos/as)	**les**	

● *¿**A ti te** gust**an** las Mates? A mí, nada.*
○ ***A mí**, sí. ¡Es mi asignatura favorita!*

3. Completa estas frases con el verbo **gustar** y el pronombre en la forma adecuada.

a. A mí ...... todos los deportes.
b. A mí no ...... la clase de Música.
c. A Manuel ...... mucho el tenis.
d. A nosotros no ...... la Química.
e. Marcos, ¿a ti ...... los animales?

4. ¿Cómo funciona el verbo **gustar** en las lenguas que conoces? Traduce y observa.

en español	en tu lengua	en otra lengua
Me gusta el español.	...	...
Me gustan las lenguas.	...	...

5. Contesta a estas preguntas añadiendo, si lo necesitas, **mucho** o **nada**.

a. ¿Te gusta el fútbol?
b. ¿Te gustan los exámenes?
c. ¿Te gusta tu colegio?
d. ¿Te gusta la música?
e. ¿Te gustan las matemáticas?
f. ¿Te gustan los idiomas?

LA CLASE DE MÚSICA

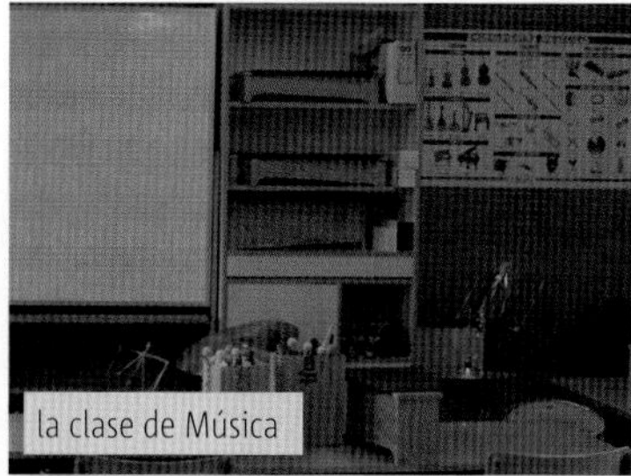

la clase de Música

la clase de Música

la clase de 1º de ESO (= el aula de 1º de ESO)

la clase de 1º de ESO (= los alumnos de 1º de ESO)

el profesor de Inglés

la hora del recreo

1. Completa estas frases según tu experiencia.

a. Yo soy alumno ....
b. La clase ...... es mi clase favorita.
c. En la clase ...... hay pósters en la pared.
d. A la hora ...... juego al fútbol.

UN GENIO Y UN JAMÓN: EL SONIDO [X]

▶ CE: 12 (p. 23)

Pista 31

1. Escucha estas palabras. Hay un sonido que se repite, ¿cuál?

- gimnasio
- jardín
- Joaquín
- Gijón
- Eugenio
- jueves
- Argentina
- Juan
- japonés
- jota

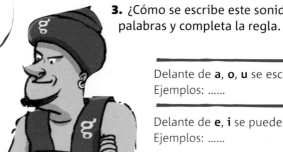

2. [x] es un sonido que se pronuncia con la parte posterior de la lengua contra el paladar. ¿Existe en tu lengua? Lee en voz alta las palabras del ejercicio 1 e intenta pronunciarlo.

3. ¿Cómo se escribe este sonido? Observa las palabras y completa la regla.

Delante de **a**, **o**, **u** se escribe ......
Ejemplos: ......

Delante de **e**, **i** se puede escribir ......
Ejemplos: ......

LA REVISTA

Educación para todos

CE: 12 (p. 23), 1 y 2 (p. 24)

Según la Declaración de los Derechos del Niño, aprobada por la Asamblea General de las Naciones Unidas el 20 de noviembre de 1959:

ARTÍCULO 7º. EL NIÑO TIENE DERECHO A RECIBIR EDUCACIÓN GRATUITA Y OBLIGATORIA POR LO MENOS EN LAS ETAPAS ELEMENTALES.

Alumnos de Perú.

Alumno de Burkina Faso.

Alumnos de Japón.

Alumnos de España.

Un colegio de artistas

El Colegio Dhiel de Córdoba (Argentina) es un colegio especial. Los alumnos (de 13 a 16 años) estudian todas las asignaturas del sistema escolar argentino y además tienen un programa completo de asignaturas artísticas: teatro, pintura, cine de animación, música, canto, danza...
Los chicos y las chicas que van a este colegio hacen representaciones teatrales, hacen canto coral, tocan instrumentos, dibujan y pintan y, además, estudian Matemáticas, Geografía, Informática, idiomas, etc.
El objetivo de este colegio es ofrecer una educación académica pero también creativa y ser un semillero de futuros artistas.

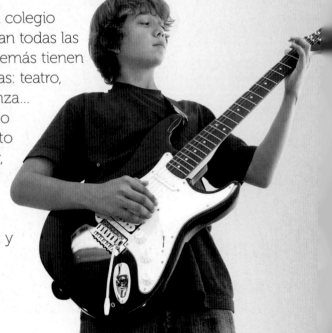

VÍDEO

Nuestro futuro colegio

Un grupo de chicos empieza a ir a un colegio nuevo. Su profesora se lo enseña: van a ver las aulas, el laboratorio, el gimnasio, la biblioteca, el comedor...

POEMA

¡Mi escuela, mi escuela!

Pista 32

HOMENAJE DE GLORIA FUERTES A LOS MAESTROS.

Yo voy a una escuela
muy particular:
cuando llueve se moja
como las demás.
Yo voy a una escuela
muy sensacional:
si se estudia, se aprende
como en las demás.
Yo voy a una escuela
muy sensacional:
los maestros son guapos,
las maestras son más.
Cada niño en su pecho
va a hacer un palomar
donde se encuentre a gusto
el pichón de la Paz.
Yo voy a una escuela
muy sensacional.

¡NOS GUSTA LA MÚSICA!

ESTOS SON...
RAFA...
HUGO...
Y MIGUEL...

Y ESTAS SON...
SANDRA ...
ELISA ...
Y JAZMÍN.
YO SOY KIKE. A TODOS NOS GUSTAN COSAS DIFERENTES. ¿CÓMO PODEMOS SER AMIGOS?

A MÍ ME GUSTA EL FÚTBOL.

A MÍ ME GUSTA EL BALONCESTO.

A MÍ ME GUSTA LA NATACIÓN.

A MÍ ME GUSTA EL JUDO.
MANOS

A MÍ ME GUSTA EL AERÓBIC.

A MÍ ME GUSTA EL ATLETISMO.

POR SUERTE...
¡A TODOS NOS GUSTA LA MÚSICA! POR ESO TENEMOS UNA BANDA DE HIP HOP.
YAMAHA

NUESTRO COLEGIO IDEAL

VAMOS A CREAR UN FOLLETO PUBLICITARIO DEL COLEGIO DONDE NOS GUSTARÍA ESTUDIAR.

CE: 1 (p. 27)

¿QUÉ NECESITAMOS?

En papel:
- una cartulina
- rotuladores
- regla y papel cuadriculado para hacer un plano
- fotografías en papel o dibujos

Con el ordenador:

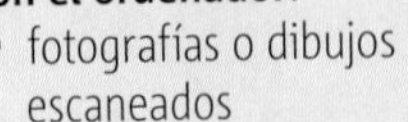

- fotografías o dibujos escaneados
- un programa para hacer presentaciones (Power Point, Keynote...)

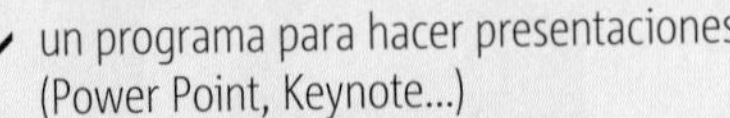

- un proyector en la clase

A. Formad grupos de cuatro. Tenéis que decidir lo siguiente:

- el nombre del centro
- ¿hay exámenes?
- ¿hay notas?
- ¿los alumnos llevan uniforme?
- las lenguas que se estudian
- las asignaturas
- el número de alumnos por clase

B. Para la presentación, podéis:

- inventar un logotipo
- dibujar unos planos o hacer una maqueta
- añadir otras informaciones
- añadir fotografías y dibujos

C. Presentad vuestra escuela al resto de la clase. Para ello, preparad un guión ordenado sobre lo que vais a explicar. Podéis grabaros en vídeo.

Alumnos de 1º de ESO preparan su colegio ideal.

El colegio ideal de los alumnos del colegio Athenée Royal de Beaumont (Bélgica).

APRENDER A APRENDER

Escribe un guión **no muy detallado pero bien ordenado**. Aprende cuáles son las partes de tu presentación. Luego, el póster o proyección te ayudará a recordar los detalles.

Muro exterior del IES Guadarrama, en Madrid.

COMPRENSIÓN LECTORA

1. Lee este texto y di si las frases siguientes son verdaderas o falsas. Cambia las frases falsas para que sean verdaderas.

	V	F
a. Mafalda es española.		
b. A Mafalda no le gusta el colegio.		
c. A Mafalda le gustan mucho la Geografía y la Historia.		
d. Felipe es el hermano de Mafalda.		
e. A Felipe le gusta mucho el colegio.		
f. Mafalda tiene un gato.		
g. La mascota de Mafalda se llama Burocracia.		
h. Guille es amigo de Mafalda.		
i. Mafalda vive en Argentina.		
j. Guille prefiere las matemáticas.		

Mafalda es una niña argentina. En su país se habla español. Vive en la ciudad de Buenos Aires, la capital, con sus padres y su hermanito Guille. Tiene una mascota que es una tortuga y que se llama Burocracia.

A Mafalda le gusta mucho estudiar y en general el colegio. Sus asignaturas preferidas son Geografía e Historia. Guille, su hermano, no va todavía al colegio porque es pequeño.

Mafalda tiene muchos amigos. Se llaman: Miguelito, Manolito, Susanita, Felipe y Libertad. Todos van juntos al colegio, pero a Manolito no le gusta porque saca muy malas notas. A Felipe tampoco le gusta, y además no le gustan los deberes.

EXPRESIÓN ORAL

2. Pregunta a un amigo de otro colegio cómo es su centro escolar. Toma notas y, luego, explícalo.

EXPRESIÓN ESCRITA

3. Esta aula es un poco extraña. ¿Qué cosas fuera de lo normal hay en ella?

COMPRENSIÓN ORAL

Pista 33

4. Escucha cómo una profesora explica a los alumnos en qué lugar se van a hacer las clases. Escribe qué asignaturas van a hacer en cada una de estas aulas.

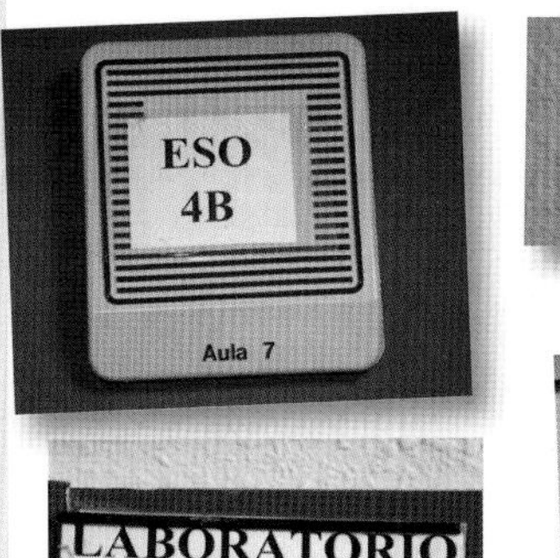

SEMINARIO GEOGRAFÍA E HISTORIA

INTERACCIÓN ORAL

5. Escribe tres cosas que te gustan y tres que no te gustan de tu colegio. Luego, habla con un compañero y encontrad vuestras coincidencias.

unidad 3

¡SOMOS GENIALES!

NUESTRO PROYECTO: VAMOS A PRESENTAR A ALGUNAS PERSONAS IMPORTANTES DE NUESTRA VIDA A NUESTROS COMPAÑEROS.

VAMOS A...

 leer un pequeño anuncio, textos que describen familias e información sobre un pintor;

 escuchar un informe policial, un programa de radio, una canción y una entrevista;

 escribir un correo electrónico hablando de nosotros mismos;

 describir el aspecto físico de personajes; presentar a personas de nuestro entorno;

 hablar sobre personas de nuestras familias; hacer una estadística en clase; adivinar personajes;

 ver un concurso de televisión.

VAMOS A APRENDER...

- los posesivos;
- los cuantificadores **muy, bastante, no... muy, un poco..., no... nada**;
- el género y el número de los adjetivos;
- la concordancia de los nombres;
- los conectores **y, pero, ni... ni**;
- léxico para hablar del aspecto físico y de la familia;
- la pronunciación y la escritura de los sonidos [r] (**r**ojo) y [ɾ] (ca**r**a).

MI MADRE Y MI HERMANA

MIS PADRES, EN AMPURIAS

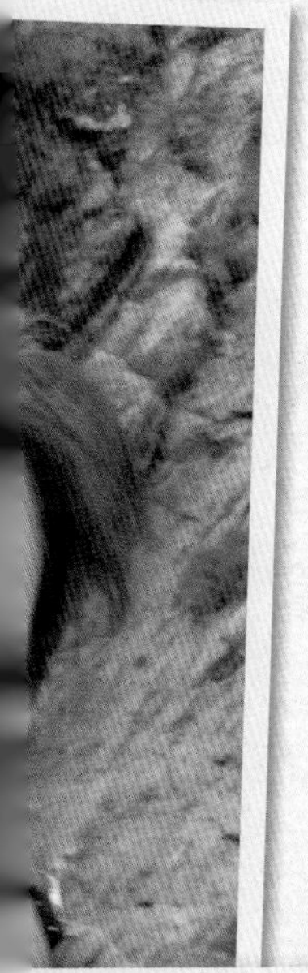

MIS PADRES, MI HERMANA Y YO

YO: PABLO MARÍN

EN HUESCA CON MI PADRE Y MI HERMANA

CON NUESTROS PRIMOS, EN BARCELONA

Las fotos de Pablo

¿Qué crees que significa...

- mi madre?
- mi padre?
- mis padres?
- mi hermana?
- mis primos?

1. El casting

CE: 1 y 2 (p. 29), 4 (p. 37)

A. Con un compañero, completa la ficha de Laura.

Casting S.A.

SE BUSCAN UN CHICO Y UNA CHICA PARA LA SERIE DE TELEVISIÓN "CHAVALES"

NECESITAMOS

- Un chico delgado, pelo corto, castaño o pelirrojo, no muy alto, preferiblemente con gafas, 13 años aproximadamente.
- Una chica morena, pelo liso, ojos oscuros, alta, 14 años aproximadamente.

Envía tus datos a **casting@gentejoven.es**.

DAVID GORDON
- pelirrojo
- pelo corto
- ojos azules
- gordito
- no muy alto
- 13 años

SARA FERRERO
- pelo rizado y bastante corto
- ojos marrones
- delgada
- bajita
- 12 años

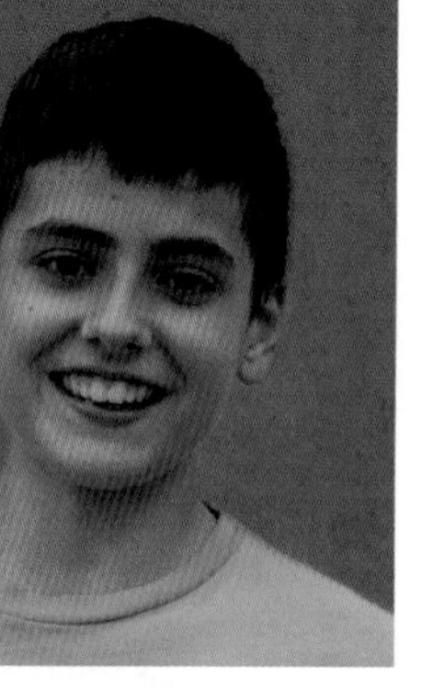

ALBERTO RUIZ
- pelo castaño y corto
- ojos marrones
- delgado
- 1,68 m
- 12 años

JUDITH CALLEJA
- pelo negro y liso
- ojos negros
- ni gorda ni delgada
- muy alta
- 13 años

LAURA DÍAZ
- ....
- ....
- ....
- ....
- bajita
- 13 años

B. ¿Quiénes son los candidatos más adecuados para el anuncio?

- El chico puede ser..., porque...
- Sí, pero...

LAS PARTES DE LA CARA

EL ASPECTO FÍSICO

CE: 1 (p. 38)

***Es** rubio/-a.* = ***Tiene** el pelo rubio.*
moreno/-a. = *el pelo negro.*
castaño/-a. = *el pelo castaño.*
pelirrojo/-a. = ~~*el pelo rojo.*~~
calvo.

***Es** alto/-a.*
bajito/-a.
delgado/-a.
gordito/-a.

***Tiene** los ojos marrones.* | *negros.* — oscuros
azules. | *verdes.* — claros

***Lleva** gafas / lentillas*
bigote / barba / coleta...
el pelo largo / corto / liso / rizado...

~~*Sus ojos son azules.*~~
Tiene los ojos azules.

~~*Tu pelo es muy bonito.*~~
Tienes el pelo muy bonito.

2. Se buscan

CE: 3 (p. 30), 3 (p. 37)

Pista 34

A. La policía busca a dos de los hermanos Malasombra. Escucha la descripción. ¿A quiénes buscan?

B. Piensa ahora en uno de ellos. Los compañeros te hacen preguntas para adivinar quién es.

- ¿Lleva gafas?
- No.
- ¿Es rubio?
- Sí.
- Timoteo.
- ¡Sí! Ahora me toca a mí...

MUY, BASTANTE, NO... MUY, UN POCO

*Es **muy** guapo/-a.*
*Es **bastante** guapo/-a.*
***No** es **muy** guapo/-a.*
*Es **un poco** feo/-a.*

Los adjetivos **bajo**/-**a**, **gordo**/-**a** y **feo**/-**a** son peyorativos; normalmente decimos **bajito**/-**a**, **gordito**/-**a**, **feíto**/-**a** o bien usamos **un poco**.

LOS ADJETIVOS

	SINGULAR	PLURAL
MASCULINO	alt**o**	alt**os**
FEMENINO	alt**a**	alt**as**

	SINGULAR	PLURAL
MASCULINO = FEMENINO	inteligent**e**	inteligent**es**

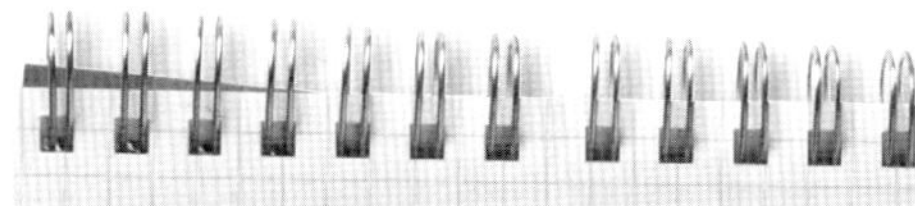

MINIPROYECTO

Vamos a hacer una estadística en la clase.

- ¿Cuántos chicos y chicas tienen el pelo rizado?
- ¿Cuántos chicos y chicas llevan gafas?
- ¿Cuántos chicos y chicas son rubios?
- ...

3. Familias

CE: 4 (p. 31), 1 (p. 39)

A. ¿A qué imagen corresponde cada texto?

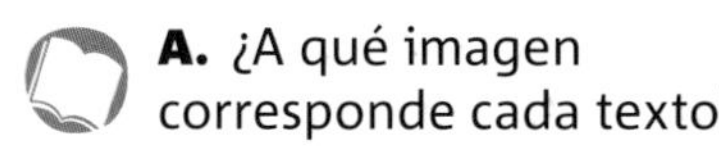

MANUEL:
Vivo con mis padres y con mis hermanos, Lola, que tiene diez años, y Eric, que tiene ocho. Tengo dos abuelas. Una abuela, Matilde, tiene 70 años y vive cerca y la otra vive en otra ciudad. No tengo animales en casa. Yo quiero un perro, pero a mi madre no le gustan los animales.

JENNIFER:
Vivo con mi madre y con el marido de mi madre. Tengo dos hermanastros, pero no viven con nosotros. Viven con su madre, pero pasamos las vacaciones juntos. Tengo un abuelo y una abuela. Tengo dos gatos que se llaman Michi y Micha y también un perro que se llama Chispa.

MARINA:
Yo vivo con mi madre. Tengo un hermano que tiene 15 años y que está loco por el fútbol. Tengo también dos abuelas y un abuelo, que es genial.

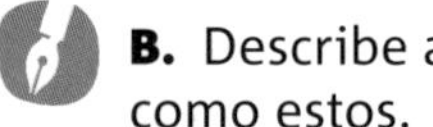

B. Describe a tu familia en un texto como estos.

¿SABES QUE...?

En muchos países de Latinoamérica se dice **mi papá**, **mi mamá**. En España solo lo usan los niños pequeños.

LA FAMILIA

CE: 5 (p. 31), 8 (p. 33)

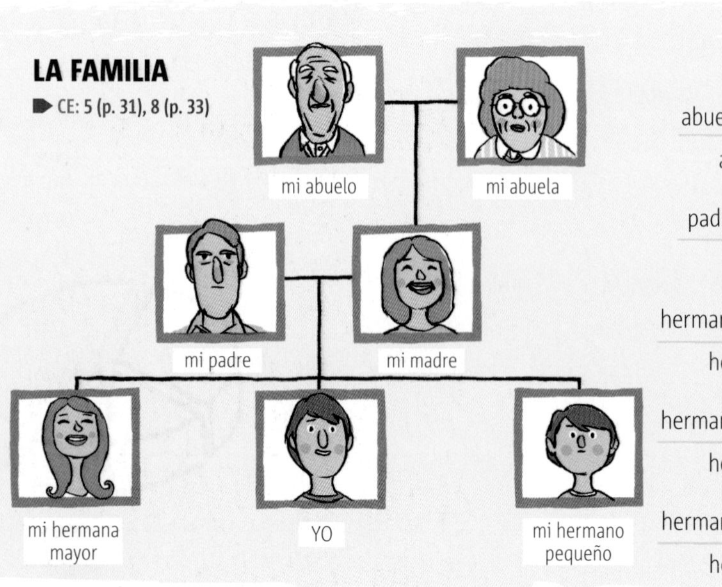

abuelo + abuela
abuelos

padre + madre
padres

hermano + hermano
hermanos

hermano + hermana
hermanos

hermana + hermana
hermanas

LOS POSESIVOS

CE: 9 y 10 (p. 33)

(yo)	**mi**	hermano/-a SINGULAR
(tú)	**tu**	
(él / ella)	**su**	

(yo)	**mis**	hermanos/-as PLURAL
(tú)	**tus**	
(él / ella)	**sus**	

*el marido de mi madre = **su** marido*
*la novia de tu hermano = **su** novia*

4. Busco pareja ▶ CE: 6 (p. 32), 1 y 2 (p. 36), 1 (p. 38)

A. Con un compañero, clasifica estos adjetivos en cualidades (+) y defectos (-). Podéis usar el diccionario.

simpático/-a	vago/-a	trabajador/-a	sincero/-a	desordenado/-a
antipático/-a	callado/-a	responsable	tímido/-a	divertido/-a
inteligente	deportista	romántico/-a	ordenado/-a	mentiroso/-a

Pista 35

B. Ahora escucha este programa de radio en el que llama gente para encontrar novio o novia. ¿Cómo es Jaime?

Jaime llama al programa de radio.

C. Tina también busca novio. ¿Crees que Jaime y Tina pueden ser novios? ¿Por qué?

TINA
SU ASPECTO FÍSICO:
morena, ojos oscuros, delgada.
SUS CUALIDADES:
romántica y deportista.
SUS DEFECTOS:
un poco vaga y bastante desordenada.
SUS AFICIONES:
el fútbol y la música.
BUSCA UN CHICO:
deportista, moreno, con ojos verdes o azules.

Tina escucha el programa en su reproductor.

Yo creo que sí, porque los dos son...

MUY, BASTANTE, UN POCO, NO... NADA
▶ CE: 7 (p. 32), 12 (p. 34)

Soy ***muy*** *responsable.*
Soy ***bastante*** *responsable.*
Soy ***un poco*** *irresponsable.*
No *soy* ***nada*** *responsable.*

Un poco: solo con adjetivos negativos (defectos).
Soy ***un poco*** *mentiroso.*

Y, PERO, NI... NI

Mi padre es sincero ***y*** *callado.*

Manuel, mi mejor amigo, es un poco vago, ***pero*** *muy inteligente.*

Yo no soy ***ni*** *simpática* ***ni*** *antipática: soy muy tímida.*

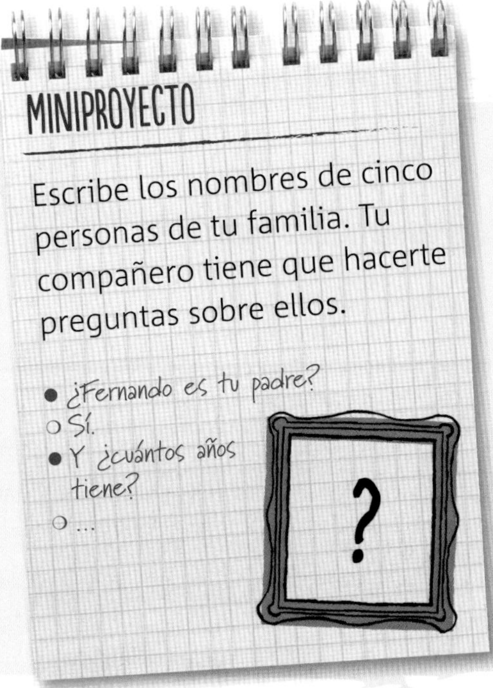

MINIPROYECTO
Escribe los nombres de cinco personas de tu familia. Tu compañero tiene que hacerte preguntas sobre ellos.
• ¿Fernando es tu padre?
○ Sí.
• Y ¿cuántos años tiene?
○ ...
?

LOS ADJETIVOS: GÉNERO Y NÚMERO

Algunos adjetivos tienen cuatro formas.

	SINGULAR	PLURAL
MASCULINO	alt**o**	alt**os**
FEMENINO	alt**a**	alt**as**

Los adjetivos terminados en **-e** o en consonante tienen las mismas formas para el masculino y para el femenino.

	SINGULAR	PLURAL
MASCULINO = FEMENINO	inteligente normal	inteligent**es** normal**es**

Los adjetivos terminados en consonante tienen el plural terminado en **-es**.

SINGULAR	PLURAL
azul	azul**es**
normal	normal**es**

LA CONCORDANCIA DE LOS NOMBRES

Las palabras que acompañan a un nombre concuerdan con él en género y número.

La *madre de Neus es muy* ***trabajadora****.* → FEM.
Yo tengo ***un*** *perro* ***pequeño*** *muy* ***simpático****.* → MASC.

1. Marca la concordancia como en el ejemplo.

La hermana de Nicolás es muy guapa y muy simpática.

a. El novio de Ana es un chico muy alto y delgado, ¿no?
b. Este año tenemos una profesora de inglés muy divertida.
c. El gato de Felipe es negro, gordo y un poco feo. No me gusta...
d. Sus dos hijos son morenos y tienen los ojos marrones, pero su hija es rubia y tiene los ojos azules.

LOS CUANTIFICADORES

Cuantificadores que acompañan a los adjetivos:

Tu gato es ***muy*** *inteligente.*
Elisa es ***bastante*** *bajita.*
Mi padre es ***un poco*** *gordo.*
*¡****No*** *soy* ***nada*** *deportista!*

2. Vuelve a leer los adjetivos de la actividad 4 y escribe seis rasgos (positivos y negativos) de tu carácter.

Soy un poco tímido.

LAS CONJUNCIONES

El chico que me gusta es alto ***y*** *rubio.*
Mi hermano es un poco antipático ***pero*** *es muy sincero.*
Carmen no es ***ni*** *gorda* ***ni*** *delgada, es normal.*

3. Haz frases usando **y, pero, ni... ni...**.

a. empollón / saca malas notas
b. no muy guapo / muy simpático
c. alta / bajita
d. deportista / buen estudiante
e. vago / saca buenas notas

LOS POSESIVOS CE: 13 (p. 35)

POSESIVOS SINGULAR		
(yo)	**mi**	hermano/-a
(tú)	**tu**	hermano/-a
(él / ella / usted)	**su**	hermano/-a
(nosotros) (nosotras)	**nuestro** **nuestra**	hermano hermana
(vosotros) (vosotras)	**vuestro** **vuestra**	hermano hermana
(ellos / ellas / ustedes)	**su**	hermano/-a

POSESIVOS PLURAL		
(yo)	**mis**	hermanos/-as
(tú)	**tus**	hermanos/-as
(él / ella / usted)	**sus**	hermanos/-as
(nosotros) (nosotras)	**nuestros** **nuestras**	hermanos hermanas
(vosotros) (vosotras)	**vuestros** **vuestras**	hermanos hermanas
(ellos / ellas / ustedes)	**sus**	hermanos/-as

4. Completa usando posesivos.

a. .... padres tienen una casa en España. (← los padres de David y Alex)
b. ¿.......... colegio es muy grande? (← el colegio de Ana y Eva)
c. ¿Cuál es .... número de teléfono? (← el número de teléfono de usted)
d. .... deporte favorito es el rugby. (← el deporte favorito de Alberto)
e. .... hijos son Gabriel y Tomás, ¿no? (← los hijos de ustedes)

5. Traduce estas frases a tu lengua. ¿Funcionan igual los posesivos en tu lengua y en español?

FAMILIA Y APELLIDOS

1. Observa los apellidos de la familia de Víctor García Ruiz.

2. Estos son los familiares de Pablo Daza Gracián. ¿Puedes deducir qué relación de familia tienen con él?

a. Félix Daza Torres es el *abuelo* de Pablo.
b. Graciela Valle Mendoza es la .... de Pablo.
c. Pedro Daza Valle es el .... de Pablo.
d. Inés Daza Gracián es la .... de Pablo.
e. Margarita Gracián Vela es la .... de Pablo.
f. Tomás Daza Gracián es el .... de Pablo.

LAS R DE "RARO"

CE: 11 (p. 34)

revista rubia Roberto pelirrojo burro perro color martes deporte Perú hora pero pregunta traducir croqueta

Pista 36

1. Las erres tienen sonidos diferentes en las distintas lenguas. Escucha estas palabras. ¿Todas las **r** suenan igual? ¿Verdad que hay unas más fuertes que otras? Señálalo.

VIBRAN MÁS EN LAS PALABRAS	SOLO VIBRAN UNA VEZ EN LAS PALABRAS
....	....
....	....
....	....

2. Escucha otra vez para comprobar tus hipótesis.

3. Ahora con un compañero, trata de averiguar las reglas. ¿Dónde aparecen estos dos sonidos? ¿Cómo se escriben?

	SE PRONUNCIA	SE ESCRIBE
Al principio de la palabra	....	....
Detrás de una consonante	....	....
Delante de una consonante	....	....
Entre vocales, si es fuerte	....	....
Entre vocales, si no es fuerte	....	....

BOTERO

CE: 11 (p. 34)

UN PINTOR DE GORDOS

Una familia (1989)

Fernando Botero es un artista colombiano. Nació en Antioquia (Colombia, 1932) pero vive en París, Nueva York, México y la Toscana (Italia).

Los personajes de Botero (hombres, mujeres, niños, gatos, caballos...) son muy gordos y redondos.

Sus pinturas representan la vida cotidiana de personas y animales, y sus grandes esculturas están en muchas ciudades del mundo.

Botero pintó muchos cuadros de familias, todas ellas muy diferentes: familias ricas, familias pobres, familias antiguas, familias modernas, familias de presidentes, familias en el campo, familias en sus casas...

Gato (1987). Escultura situada en la Rambla del Raval de Barcelona.

La viuda (1997)

VÍDEO

Busca y encuentra

En un concurso de televisión, los concursantes reciben descripciones físicas de personas y tienen que encontrarlas por la calle. ¡Tienen 15 minutos!

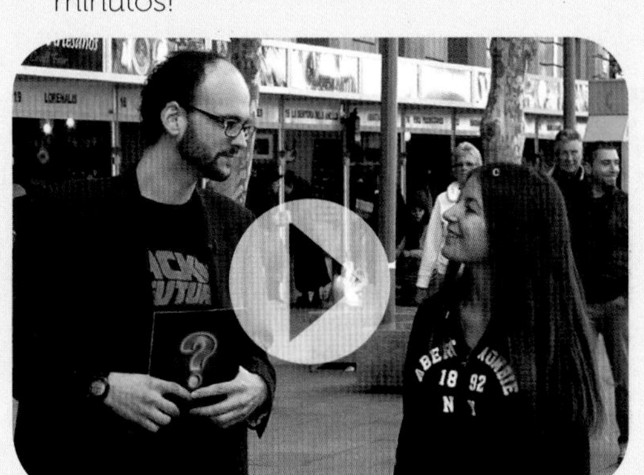

CANCIÓN

Pista 37

Me gusta cómo eres

Me gusta cómo eres,
tus ojos, tu sonrisa
y tu manera de andar.

Pero a tu hermano,
pero a tu hermano...
No lo puedo aguantar.

Me gusta como eres,
tu boca, tu pelo
y tu manera de hablar.

Pero a tu hermano,
pero a tu hermano...
No lo puedo aguantar.

Me gusta cómo eres,
tu risa, tu mirada
y tu manera de vestir.

Pero a tu hermano,
pero a tu hermano...
No lo puedo aguantar.

¡ES MUY GUAPO!

MI GENTE

VAMOS A PRESENTAR A ALGUNAS PERSONAS IMPORTANTES DE NUESTRA VIDA A NUESTROS COMPAÑEROS.

¿QUÉ NECESITAMOS?

En papel:
- fotografías en papel de las personas escogidas
- una cartulina grande
- rotuladores
- pegamento

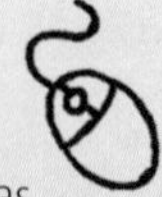

Con el ordenador:
- fotografías digitales de las personas escogidas
- un programa para hacer presentaciones (Power Point, Keynote...)
- un proyector en la clase

A. Piensa en tres personas importantes para ti. Prepara frases para hablar de:

- sus datos personales (nombre, apellidos, fecha y lugar de nacimiento, dónde vive...)
- tu relación con él o ella (familia, amigo...)
- su aspecto físico
- su carácter (cualidades y defectos)

B. Busca una fotografía de cada persona y escribe el texto de presentación. Prepáralo en una cartulina o bien en el ordenador.

C. Ensaya y presenta tu gente a la clase. Tus compañeros pueden hacerte preguntas.

APRENDER A APRENDER
Cuando hagas una presentación oral es mejor no leer, sino **hablar de forma espontánea**, ayudándote de tu guión.

LARISSA MARINI

es mi hermana mayor

y tiene 18 años.

Datos personales
Fecha de nacimiento: 28/06/1997

Lugar de nacimiento: Porto Alegre

Vive en São Paulo.

Larissa es alta y no es ni gorda ni delgada. Tiene el pelo castaño y liso y los ojos azules. Ahora lleva el pelo largo y muchas veces lleva coleta.

Mi hermana es bastante desordenada y un poco vaga, pero también es muy simpática y súper-divertida. ¡Es la mejor!

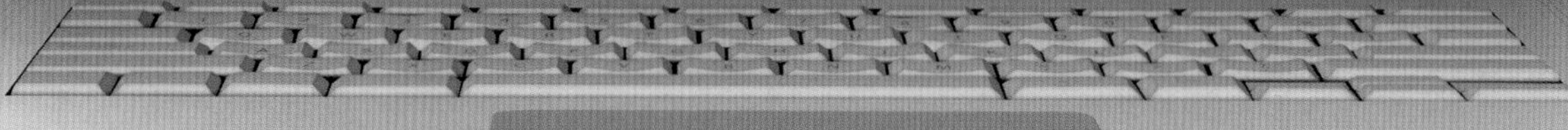

COMPRENSIÓN LECTORA

1. Escribe en la imagen el nombre de los amigos de Kike.

MIRA, ESTOS SON MIS AMIGOS DEL BARRIO Y DEL COLE. ¿CÓMO SE LLAMAN? ESTA ES JAZMÍN. ES MORENA Y TIENE EL PELO RIZADO. ES UNA CHICA MUY INTELIGENTE Y MUY DIVERTIDA. LA RUBIA DEL PELO LARGO ES SANDRA. ES MUY GUAPA, ¿NO? MIGUEL ES RUBIO Y LLEVA GAFAS COMO YO. ¡ES MUY DESPISTADO PERO MUY BUEN TIPO! HUGO ES UN CHICO MUY FUERTE PORQUE HACE MUCHO DEPORTE, PERO SIEMPRE SACA MALAS NOTAS. ESTE, EL RUBIO CON EL PELO RIZADO, ES RAFA. Y ESTA, LA CASTAÑA, ES ELISA.
KIKE

EXPRESIÓN ORAL

2. Describe el aspecto físico de estos personajes. Inventa algunos rasgos de su carácter.

Detalles de *Las meninas* (1656), del pintor español Diego Velázquez

EXPRESIÓN ESCRITA

3. Dibuja el árbol genealógico de tu familia.

COMPRENSIÓN ORAL

Pista 38

4. Escucha una entrevista con un cantante famoso y anota estas informaciones.

Nombre: Apellido:
Edad:
Nacionalidad:
Domicilio:
Número de hermanos:
Descripción de carácter:

INTERACCIÓN ORAL

5. En parejas, jugad a adivinar personajes. Decidid si serán reales o imaginarios, famosos o de vuestro entorno. Podéis hacer preguntas sobre su aspecto físico, su carácter, su familia...

unidad 4

ME GUSTA BAILAR

NUESTRO PROYECTO: VAMOS A REPRESENTAR UNA ENTREVISTA CON UN PERSONAJE FAMOSO DE LA CULTURA HISPANA.

VAMOS A...

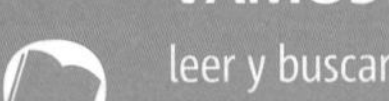
leer y buscar información en internet sobre la vida de un personaje famoso;

escuchar un programa de radio sobre un personaje famoso; escuchar una canción;

escribir sobre el horario, las aficiones, los gustos y la rutina diaria propios y de otras personas;

hablar sobre nuestros gustos y aficiones;

entrevistar y ser entrevistados; preguntar y dar la hora;

ver un reportaje sobre la rutina diaria de un personaje especial.

VAMOS A APRENDER...

- el presente de indicativo de los verbos regulares;
- algunos verbos irregulares: **hacer**, **jugar**, **salir**, **ir**;
- algunos verbos reflexivos: **levantarse**, **acostarse**;
- **gustar** + sustantivo / infinitivo;
- **también** / **tampoco**;
- **todos los días**, **un día por semana**, **tres horas al día**, **los jueves**, **a veces**, **no... nunca**;
- los números del 20 al 100;
- léxico para hablar de actividades y aficiones;
- las horas y los días de la semana;
- la pronunciación y la escritura de **z**, **s** y **c**.

En mi tiempo libre...

¿Qué te gusta hacer en tu tiempo libre? Di quién responde.

- A mí me gusta escuchar música.
- A mí me gusta jugar al fútbol y hacer deporte.
- A mí me gustan los juegos de estrategia.
- A mí me gusta mucho dibujar.
- A mí me gusta tocar la guitarra.
- A mí me gusta chatear con mis amigos.

ME GUSTA TOCAR LA GUITARRA

APRENDER A APRENDER
Para entender **palabras nuevas**, fíjate en si se parecen a palabras de otras lenguas que conoces y haz hipótesis sobre su significado.

1. ¿Qué te gusta hacer? CE: 4 (p. 42)

A. ¿Qué actividades no están en los dibujos?

hacer los deberes	ver series y películas	entrar en Facebook	leer revistas	jugar al fútbol
escribir mensajes	hablar español	salir con los amigos	dibujar	bailar
ir en bicicleta	ordenar la habitación	tocar el piano	escuchar música	ir a conciertos

B. Escoge tres actividades que te gustan y tres que no te gustan. Completa una tabla como esta.

ME GUSTA... ☺	NO ME GUSTA... ☹
ir en bicicleta.	...

C. Compara tu tabla con la de un compañero.

- A mí me gusta ir en bicicleta.
- ○ ¡A mí también!

TAMBIÉN / TAMPOCO (II) CE: 5 (p. 42)

- *Yo hago danza.*
- ○ *Yo* ***también.*** ○ *Yo* ***no.***

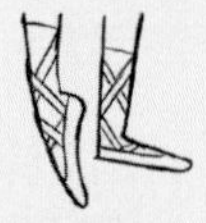

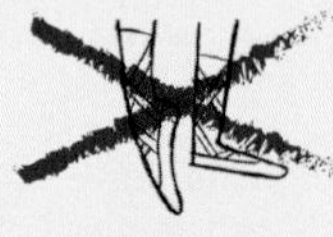

- *Yo no toco la guitarra.*
- ○ *Yo* ***tampoco.*** ○ *Yo* ***sí.***

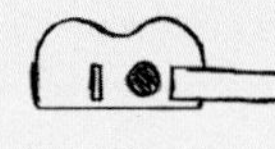

- *A mí me gusta mucho leer.*
- ○ ***A mí también.*** ○ ***A mí no*** *(me gusta).*

- *A mí no me gusta el fútbol.*
- ○ ***A mí tampoco.*** ○ ***A mí sí*** *(me gusta).*

GUSTAR + INFINITIVO / SUSTANTIVO

CE: 5 (p. 42), 2 (p. 51)

me te le nos os les	gusta	jugar al tenis INFINITIVO el tenis SUSTANTIVO SINGULAR
	gustan	los gatos SUSTANTIVO PLURAL

- *¿**Te gusta** bailar?*
- ○ ***Sí, mucho.***
  No, no mucho.
  No, nada.

2. ¿Eres como Dani o como Martín? CE: 13 y 14 (p. 47)

A. ¿Cuáles de las cosas que hacen Dani y Martín haces tú? ¿Cuándo?

- A veces juega al ajedrez.
- Estudia un poco todos los días.
- Ordena su habitación todas las semanas.
- Come en el colegio todos los días.
- Ayuda a su padre en el jardín todos los fines de semana.
- Escribe mensajes todos los días.
- Entrena con su equipo de fútbol dos días por semana.
- No llega nunca tarde al colegio.

- Patina todos los días.
- Ensaya con su grupo de música un día por semana.
- Estudia solo si tiene un examen.
- No ordena nunca su habitación.
- A veces come en el colegio.
- No ayuda nunca a sus padres.
- A veces visita a sus abuelos.
- Entrena con su equipo de fútbol dos días por semana.

● Yo entreno los sábados.
○ Yo a veces visito a mis abuelos.

B. Dibuja una tabla como esta con las actividades de Dani y Martín.

INFINITIVO	YO	ÉL / ELLA	ELLOS (LOS DOS)
leer ...	leo	lee	leen

APRENDER A APRENDER
Para recordar las **terminaciones de los verbos** puedes buscar trucos como este:
yo toco ella toca.
¿Puedes encontrar otras reglas mnemotécnicas?

EL PRESENTE DE INDICATIVO

CE: 6 y 7 (p. 43)

	ESTUDIAR	LEER	ESCRIBIR
yo	estudi**o**	le**o**	escrib**o**
tú	estudi**as**	le**es**	escrib**es**
él / ella	estudi**a**	le**e**	escrib**e**
nosotros/as	estudi**amos**	le**emos**	escrib**imos**
vosotros/as	estudi**áis**	le**éis**	escrib**ís**
ellos / ellas	estudi**an**	le**en**	escrib**en**

Los verbos **hacer**, **jugar**, **salir** e **ir** son irregulares: (yo) **hago**, **juego**, **salgo**, **voy**. CE: 11 y 12 (p. 46)

EXPRESAR FRECUENCIA

CE: 1 (p. 51)

\+ *Estudio* ***todos los días.***
Tengo una hora de recreo ***al día.***
A veces *llego tarde a clase.*
Entreno dos días ***por semana.***
\- ***No*** *ordeno* ***nunca*** *mi habitación.*

MINIPROYECTO

En grupos de tres: descubrid siete cosas que hacéis todos y haced una lista.

● Yo juego al baloncesto.
○ Yo también.
■ Yo también.

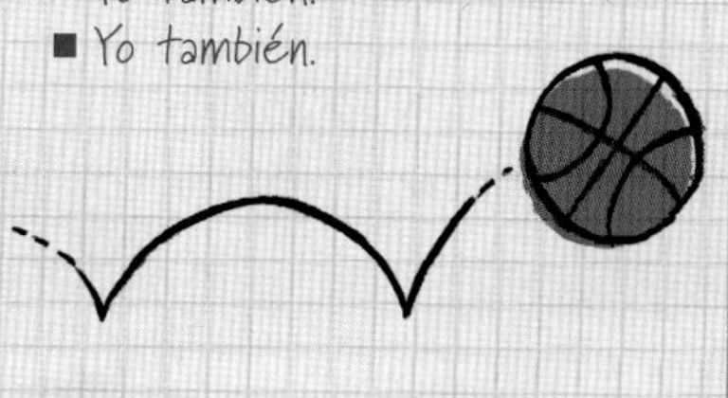

3. ¿Qué hora es? CE: 2 (p. 41), 4 (p. 49)

A. Si en Buenos Aires son las cuatro de la tarde, ¿qué hora es en las otras capitales de países de América Latina? Pregunta a un compañero.

- ¿Qué hora es en Lima?
- Son las dos.

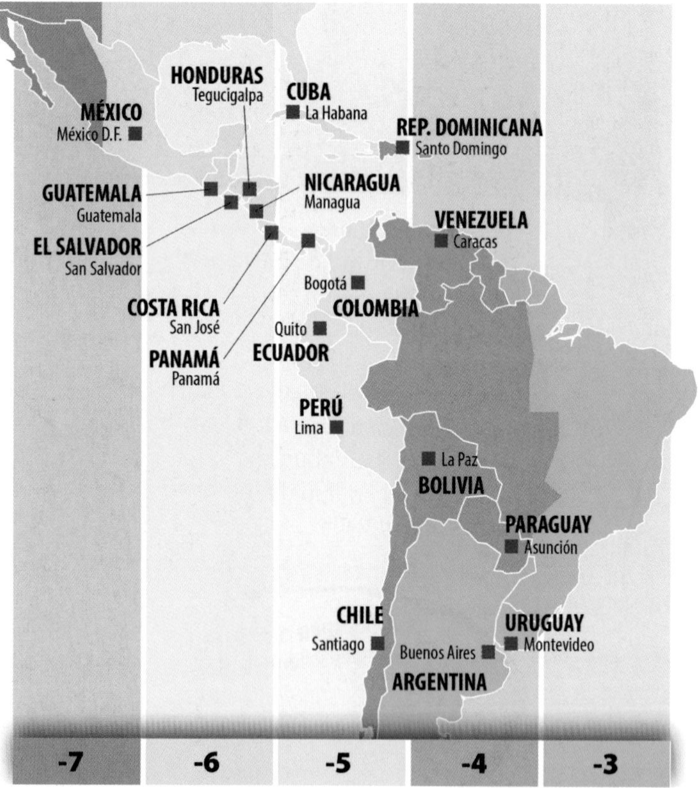

Los números indican cuántas horas de diferencia hay respecto a la hora del meridiano de Greenwich ("hora 0") que pasa, aproximadamente, por Londres y Lisboa.

B. Observa estos relojes y escribe en tu cuaderno a qué horas hace estas cosas David.

C. Ahora podéis dibujar relojes y escribir las horas importantes para vosotros: la hora del recreo, la hora de vuestra serie favorita de televisión...

¿SABES QUE...?

En España, normalmente, la gente **desayuna** entre las siete y las nueve de la mañana, **come** entre la una y las tres de la tarde y **cena** a partir de las nueve de la noche. La gente, en general, **se acuesta** entre las once de la noche y la una de la madrugada.

LA HORA CE: 3 (p. 41)

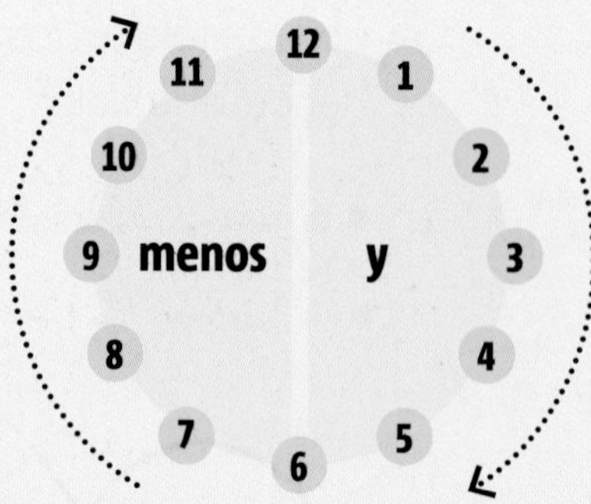

14:10 **Son** las dos **y diez**.
14:15 **Son** las dos **y cuarto**.
14:30 **Son** las dos **y media**.
14:45 **Son** las tres **menos cuarto**.

- *¿Qué hora es?*
- ***Es la** una. / **Son las** dos (en punto).*

- *¿**A qué hora** entras en el colegio?*
- ***A las** ocho y media.*

las nueve **de la mañana**
la una **del mediodía**
las siete **de la tarde**
las diez **de la noche**
las dos **de la madrugada**

En España, cuando decimos **mediodía** no nos referimos a las 12, sino a la hora de comer.

4. Jugar al fútbol y dormir CE: 1 (p. 48)

A. ¿Quién es Leo Messi? ¿Qué sabes de él?

Pista 39

B. Escucha el reportaje sobre un día en la vida de Leo Messi y completa su horario.

8:00	**se levanta y desayuna**
......	**entrena en el club**
14:00–15:00	......
......	**duerme la siesta**
17:00–19:30	......
......	**cena**
20:30–21:30	......
......	**se acuesta**

C. Vuelve a escuchar el reportaje. ¿Qué le gusta hacer a Leo?

ir de vacaciones a la playa | leer | dormir | estudiar | ver películas mexicanas | jugar al fútbol

D. Revisa su horario: ¿cuáles crees que son sus dos actividades favoritas?

5. Mi horario CE: 9 (p. 45), 3 (p. 49)

A. Mira tu horario semanal y contesta:

1. ¿A qué hora entras en el colegio?
2. ¿Cuántas horas duermes al día?
3. ¿Cuántas horas de Inglés por semana tienes?
4. ¿Qué días tienes Educación Física?

B. Hazle preguntas como estas a un compañero.

LOS DÍAS DE LA SEMANA CE: 3 (p. 50)

LUNES	MARTES	MIÉRCOLES	JUEVES	VIERNES	SÁBADO	DOMINGO

Los domingos *no voy a la escuela.*
Hoy es *martes, 15 de octubre.*

sábado + domingo = **fin de semana**
Los ***fines de semana*** *me levanto a las 10.*

MINIPROYECTO

Escribe tu horario de un día normal y de un sábado en un esquema como el de Leo Messi.

EL PRESENTE DE INDICATIVO CE: 8 (p. 44)

VERBOS REGULARES

Los infinitivos de los verbos regulares pueden terminar en **-ar**, **-er** o **-ir**. Cada grupo tiene unas terminaciones propias.

	ESTUDIAR	LEER	ESCRIBIR
yo	estudi**o**	le**o**	escrib**o**
tú	estudi**as**	le**es**	escrib**es**
él / ella	estudi**a**	le**e**	escrib**e**
nosotros/-as	estudi**amos**	le**emos**	escrib**imos**
vosotros/-as	estudi**áis**	le**éis**	escrib**ís**
ellos / ellas	estudi**an**	le**en**	escrib**en**

VERBOS IRREGULARES

	HACER	JUGAR	SALIR	IR
yo	ha**g**o	**jue**go	sal**g**o	**voy**
tú	haces	**jue**gas	sales	**vas**
él / ella	hace	**jue**ga	sale	**va**
nosotros/-as	hacemos	jugamos	salimos	**vamos**
vosotros/-as	hacéis	jugáis	salís	**vais**
ellos / ellas	hacen	**jue**gan	salen	**van**

1. Completa estas frases usando uno de estos verbos en presente de indicativo.

a. Normalmente, los sábados por la mañana (yo, ir) ...... a ver a mis abuelos. Por la tarde mis amigas y yo (ir) ...... a casa de una de nosotras a hablar y a escuchar música.
b. Los domingos, mis amigos y yo (salir) ...... hasta las siete. Luego (yo, ir) ...... a casa a hacer los deberes hasta las nueve.
c. ¿A qué hora (tú, hacer) ...... los deberes?
d. Pablo y Carlos (dormir) ...... ocho horas al día.
e. Oye, ¿tú (jugar) ...... mucho con la *play* o con el ordenador?

EXPRESAR GUSTOS

(A mí)	**me**	gusta	tocar la batería. (INFINITIVO)
(A ti)	**te**		la música. (SUSTANTIVO SINGULAR)
(A él / a ella)	**le**		
(A nosotros/-as)	**nos**	gustan	los deportes. (SUSTANTIVO PLURAL)
(A vosotros/-as)	**os**		las series de televisión. (SUSTANTIVO PLURAL)
(A ellos / a ellas)	**les**		

2. ¿Cómo se dicen estas frases en tu lengua? ¿Y en las otras lenguas que conoces?

a. A mí me gusta chatear.
b. No me gusta ir en bicicleta.
c. Me gustan los deportes.
d. A mí no me gustan los cómics.

LOS NÚMEROS DEL 20 AL 100 CE: 1 (p. 41)

20 **veinte**	21 **veintiuno**	31 treinta **y** uno
30 **treinta**	22 **veintidós**	32 treinta **y** dos
40 **cuarenta**	23 **veintitrés**	33 treinta **y** tres
50 **cincuenta**	24 **veinticuatro**	34 treinta **y** cuatro
60 **sesenta**	25 **veinticinco**	35 treinta **y** cinco
70 **setenta**	26 **veintiséis**	36 treinta **y** seis
80 **ochenta**	27 **veintisiete**	37 treinta **y** siete
90 **noventa**	28 **veintiocho**	38 treinta **y** ocho
100 **cien**	29 **veintinueve**	39 treinta **y** nueve

3. Escribe estas horas en letras como en el ejemplo.

¿Qué hora es?
a. 14:25 Son las dos y veinticinco.
b. 08:53 ......
c. 02:20 ......
d. 17:18 ......
e. 18:15 ......
f. 21:35 ......
g. 23:47 ......

LOS VERBOS REFLEXIVOS

Algunos verbos se forman con esta serie de pronombres.

		LEVANTARSE	ACOSTARSE
yo	**me**	levanto	ac**ue**sto
tú	**te**	levantas	ac**ue**stas
él / ella	**se**	levanta	ac**ue**sta
nosotros/-as	**nos**	levantamos	acostamos
vosotros/-as	**os**	levantáis	acostáis
ellos / ellas	**se**	levantan	ac**ue**stan

4. Escribe a qué hora haces estas cosas y a qué hora las hace otra persona (tu hermana, tu padre, un amigo...).

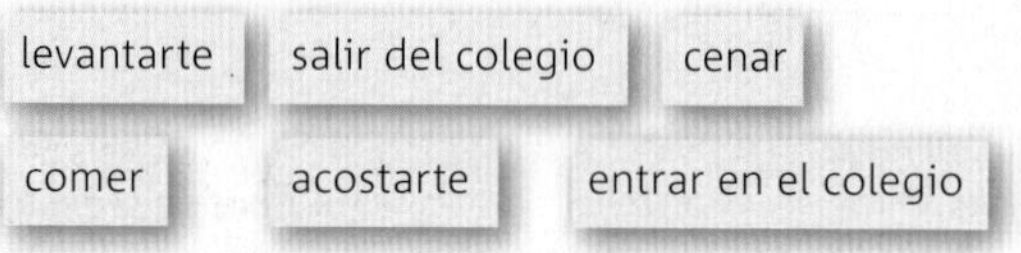

levantarte
salir del colegio
cenar
comer
acostarte
entrar en el colegio

JUEGOS, DEPORTES Y OTRAS AFICIONES

CE: 1, 2 (p. 50)

hacer judo / danza / karate / teatro

jugar al fútbol / al baloncesto / al tenis / con videojuegos

ir en bicicleta / en monopatín

tocar la guitarra / la batería / el piano

1. Completa las listas con cosas que te gusta hacer o que haces normalmente.

LAS COMIDAS DEL DÍA

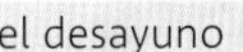

el desayuno

la comida

la merienda

la cena

2. Mira el dibujo y di cuándo son las distintas comidas del día.

El desayuno es por la...

CAZAR, SACAR, CASAR. LOS SONIDOS [S] Y [θ]

Pista 40

1. Escucha estas palabras pronunciadas por un latinoamericano. ¿Cómo pronuncia las letras destacadas en color?

CIEN CAZAR ZARAGOZA SIENTO

CERO AZUL ZOO PEZ SUR

PASAR SÁBADO AZÚCAR

Pista 41

2. Escucha estas mismas palabras pronunciadas por un español, concretamente de la mitad norte del país. ¿Qué observas? ¿La **s**, la **c** y la **z** representan el mismo sonido o varios sonidos?

3. En algunas regiones de España existe el sonido [θ]. ¿Has observado cómo se escribe?

Delante de **a**, **o**, **u** se escribe	Delante de **e**, **i** se escribe ......
Ejemplos:	Ejemplos: ....

Pista 42

4. Escucha estas palabras. ¿En cuáles de ellas oyes el sonido [θ]?

1. ...	**5.**	**9.**	**13.**
2. ...	**6.** ...	**10.** ...	**14.** ...
3. ...	**7.** ...	**11.** ...	**15.** ...
4. ...	**8.** ...	**12.** ...	

LA REVISTA

Música latina

La música latina y la española están de moda, pero...
¿con qué país se relacionan estos estilos musicales?

el tango

_RG_NT_N_

las rancheras

M_X_C_

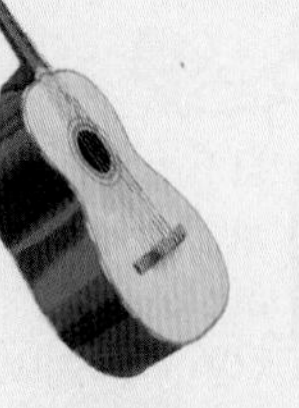

la cumbia

C_L_MB__

la salsa

C_B_

el flamenco

_SP_Ñ_

el merengue

R_P_BL_C_
D_M_N_C_N_

SHAKIRA

Shakira Mebarak es una cantante colombiana famosa en todo el mundo. Nació el 2 de febrero de 1977. Desde niña, su pasión es cantar y bailar, y tiene una fundación para luchar contra la pobreza infantil. Así son sus gustos:

- **Música:** le gusta escuchar U2 y Soda Stéreo; le gusta bailar merengue y salsa.
- **Cantantes favoritas:** Janis Joplin, Carole King y Cindy Lauper.
- **Comida:** le gusta la comida árabe, el pescado frito, el mango con sal, el marisco y el chocolate.
- **Literatura:** sus escritores preferidos son Gabriel García Márquez y Oriana Fallaci; le encanta leer.
- **Color favorito:** el negro.
- **Actor favorito:** Hugh Grant.
- **Deportes:** le gusta jugar al fútbol y al paddlesurf.
- **Le gusta:** coleccionar anillos, hacer cerámica y nadar en el mar.
- **No le gusta:** maquillarse.

VÍDEO

Un día en la vida de Emilio

Emilio se levanta a las diez de la mañana. Come cuando tiene hambre, duerme cuando tiene sueño y juega cuando quiere con sus amigos y con sus juguetes favoritos. ¿Quién puede tener una vida tan fantástica?

CANCIÓN

Quiero bailar

Pista 43

Los fines de semana quiero bailar.
Los fines de semana quiero gozar.
Los fines de semana no son pa' trabajar.
Los fines de semana, reír y amar...

Mis padres me preguntan
adónde voy,
por qué no estoy en casa
o viendo televisión.

Pero yo les digo:
el lunes, martes, miércoles
tengo colegio,
el jueves y el viernes,
qué lástima,
también.
Pero el sábado y el
domingo
son el fin de semana y
no quiero trabajar más.

Porque...
los fines de semana quiero bailar.
Los fines de semana quiero gozar.
Los fines de semana no son pa'
trabajar.
Los fines de semana, reír y amar...

La peña del garaje

¿A QUÉ JUGAMOS?

UNA ENTREVISTA

VAMOS A REPRESENTAR UNA ENTREVISTA CON UN PERSONAJE FAMOSO DE LA CULTURA HISPANA.

CE: 2 (p. 49)

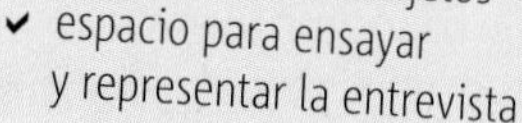
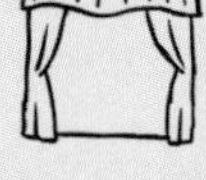

¿QUÉ NECESITAMOS?

Para representar en clase:
- cartulinas para las fichas
- disfraces u otros objetos
- espacio para ensayar y representar la entrevista

Con cámara y proyector:
- cartulinas para las fichas
- disfraces u otros objetos
- una cámara o grabadora para filmar o grabar
- proyector o televisor en el aula

A. Se divide la clase en dos grupos: A (personajes) y B (periodistas).

Grupo A: PERSONAJES	Grupo B: PERIODISTAS
• Cada alumno prepara una ficha sobre un personaje famoso del mundo hispano (Messi, Shakira, Nadal, Eva Mendes...) con esta información: . gustos sobre comida, literatura, música y deporte . aficiones . cosas que le gustan y cosas que no le gustan Haz una copia de tu ficha y dásela a un periodista.	• Cada periodista recibe la ficha de un personaje.
• Aprende la información de tu ficha y ensaya tu presentación. Recuerda que debes hablar en primera persona.	• Prepara preguntas para el personaje de tu ficha y ensaya.
• Busca algún disfraz u objeto para representar al personaje elegido.	• Busca algún disfraz u objeto para representar a un periodista.

APRENDER A APRENDER
Ensayar varias veces te ayudará a tener seguridad durante la grabación de la entrevista. Además, **si no lees, será más natural** y quedará mejor.

B. Por parejas (un periodista y un personaje), ensayad las entrevistas.

C. Grabad la entrevista o representadla en clase.

Unos chicos representan su entrevista a un personaje famoso de la cultura hispana.

COMPRENSIÓN LECTORA

1. Mira el horario de Carlota y responde a las preguntas.

	lunes	martes	miércoles	jueves	viernes
7:00	levantarse				
7:30	desayuno				
8:00–13:30	colegio				
14:00–15:00	comida				
16:00	danza	libre	danza	libre	danza
17:00	danza	clase de música	danza	clase de música	danza
17:30	merienda				
18:00	deberes	deberes	deberes	deberes	deberes
19:00	guitarra, leer	deberes	guitarra, leer	deberes	ensayar
20:00–20:30	guitarra, leer	guitarra, leer	guitarra, leer	guitarra, leer	ensayar
20:30	cena				ensayar
23:00	acostarse				libre
24:00					acostarse

a. Carlota se levanta todos los días a las siete de la mañana.
V ◯ F ◯

b. Se acuesta todos los días a la misma hora.
V ◯ F ◯

c. Va a clases de música tres días por semana.
V ◯ F ◯

d. Ensaya con su grupo un día a la semana, dos horas y media.
V ◯ F ◯

e. Hace los deberes cinco horas a la semana.
V ◯ F ◯

f. Lee mucho.
V ◯ F ◯

g. Toca la guitarra los martes y los viernes.
V ◯ F ◯

EXPRESIÓN ORAL

2. Explica cuatro semejanzas y cuatro diferencias entre tus gustos y los gustos de Shakira o los de Leo Messi.

EXPRESIÓN ESCRITA

3. Inventa el horario ideal de un día normal para ti. ¿A qué hora te levantas? ¿Vas a la escuela? ¿Dónde comes?

INTERACCIÓN ORAL

4. Habla con un compañero sobre las actividades que hacéis fuera de la escuela. Descubre qué actividades hacéis igual, los mismos días y a las mismas horas. Grabad la conversación.

COMPRENSIÓN ORAL

Pista 44

5. Escucha esta entrevista y señala las opciones correctas.

1. María Lorente se levanta...
a. a las seis de la mañana.
b. a las siete de la tarde.
c. a las siete de la mañana.

2. Sale de la escuela...
a. a las tres de la tarde.
b. a las cinco de la tarde.
c. a la una y media del mediodía.

3. Ensaya con su grupo...
a. por las tardes.
b. cada sábado.
c. de nueve a diez de la noche.

4. Los días que tiene concierto...
a. se acuesta a las tres de la mañana.
b. se acuesta muy tarde.
c. no se acuesta.

5. Este verano va a...
a. participar en un festival de percusión.
b. viajar con su familia a Cuba.
c. descansar y a leer mucho.

unidad 5

¡QUÉ BONITO!

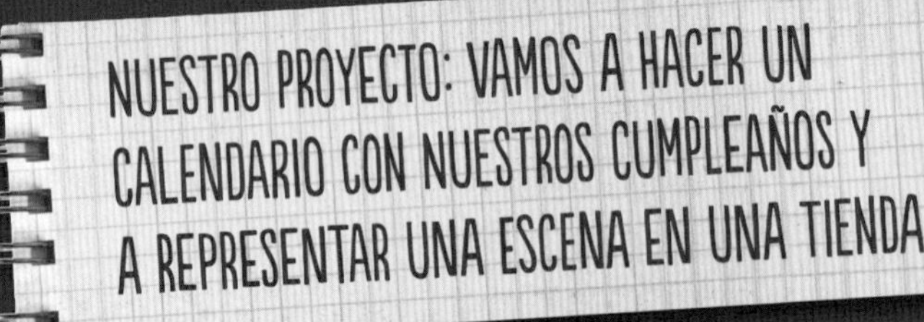

NUESTRO PROYECTO: VAMOS A HACER UN CALENDARIO CON NUESTROS CUMPLEAÑOS Y A REPRESENTAR UNA ESCENA EN UNA TIENDA.

VAMOS A...

 leer sobre la obra de un pintor, sobre una campaña solidaria y sobre una fiesta familiar hispanoamericana;

 escuchar conversaciones en varias tiendas; escuchar una canción de cumpleaños;

 describir cómo va vestida una persona;

 describir la ropa de un compañero; hacer un anuncio;

 hablar de regalos, de tiendas y de prendas de ropa; preguntar y decir la fecha de nuestro cumpleaños; desenvolverse en tiendas;

 ver cómo un personaje cambia de imagen.

VAMOS A APRENDER...

- el verbo **estar**;
- la preposición **para**;
- los artículos indeterminados: **un**, **una**, **unos**, **unas**;
- los demostrativos: **este/-a/-os/-as**, **esto**, **ese/-a/-os/-as**, **eso**;
- los posesivos tónicos en singular: **el mío**, **el tuyo**, **el suyo**...;
- frases exclamativas con **qué**;
- la concordancia de los adjetivos calificativos;
- los colores;
- los meses del año;
- a decir fechas;
- adjetivos para calificar ropa: **grande**, **pequeño**, **caro**, **barato**...;
- la **b** y la **v**.

15 DE ENERO, PRIMER DÍA DE REBAJAS

6 DE ENERO, DÍA DE REYES

Feliz Cumpleaños

16 DE JULIO, CUMPLEAÑOS DE MARÍA

Las fotos de María

María mira sus fotos. ¿Qué piensa al ver cada una de ellas?

¡Ya tengo 13 años!

¡Qué bonito, el vestido!

Clarita pide sus regalos a los Reyes Magos... ¡Qué emoción!

1. En una calle comercial CE: 1 y 2 (p. 53), 8 (p. 57), 1 (p. 60) y 2 (p. 61)

A. Pamela y Elsa buscan un regalo de cumpleaños para sus amigos Silvia y Víctor. Tienen varias ideas. ¿Para quién es cada objeto? Algunos pueden ser para los dos.

A Silvia le gustan los deportes y jugar con la consola.

A Víctor le gusta leer y escuchar música.

El libro, para Víctor.

LOS MESES

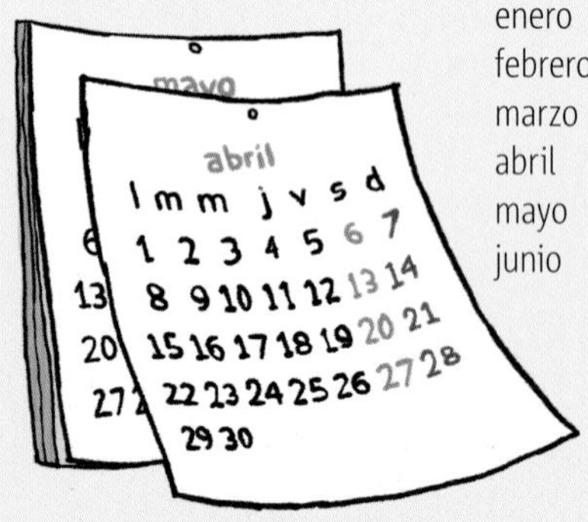

enero	julio
febrero	agosto
marzo	septiembre
abril	octubre
mayo	noviembre
junio	diciembre

*Tenemos vacaciones en **julio** y en **agosto**.*

ESTAR

yo	est**oy**
tú	est**ás**
él / ella	est**á**
nosotros/as	est**amos**
vosotros/as	est**áis**
ellos / ellas	est**án**

*Mi madre **está en** casa.*
*Pamela y Elsa **están en** la tienda de deportes.*

PARA

para	mí
	ti
	él / ella
	usted
	nosotros / nosotras
	vosotros / vosotras
	ellos / ellas
	ustedes
	Pamela

- *¿**Para quién** es este libro?*
- ***Para ti**.*

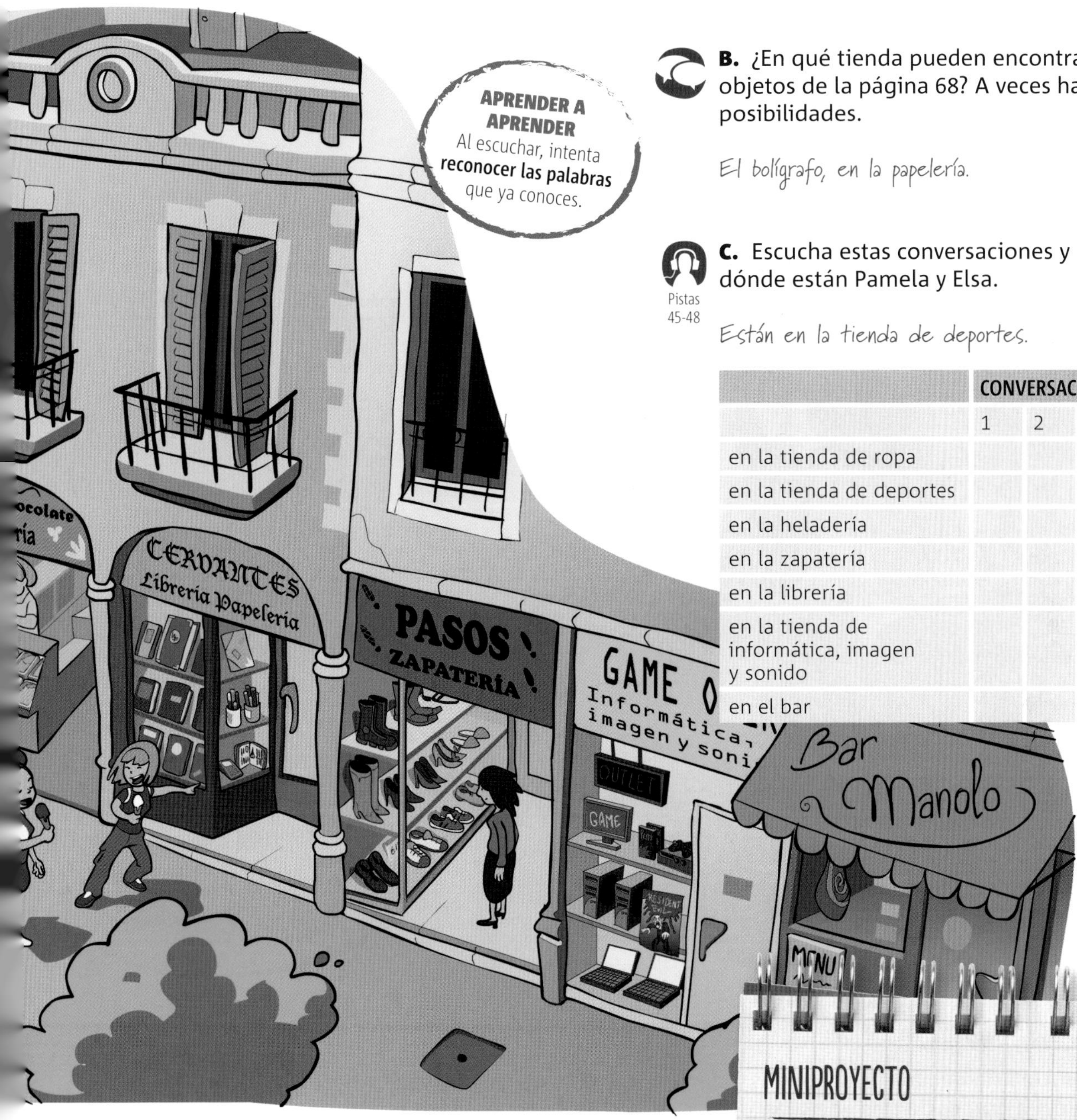

B. ¿En qué tienda pueden encontrar los objetos de la página 68? A veces hay varias posibilidades.

El bolígrafo, en la papelería.

APRENDER A APRENDER
Al escuchar, intenta **reconocer las palabras** que ya conoces.

C. Escucha estas conversaciones y señala dónde están Pamela y Elsa.

Pistas 45-48

Están en la tienda de deportes.

	CONVERSACIÓN			
	1	2	3	4
en la tienda de ropa				
en la tienda de deportes				
en la heladería				
en la zapatería				
en la librería				
en la tienda de informática, imagen y sonido				
en el bar				

MINIPROYECTO

Pregunta a tus compañeros la fecha de sus cumpleaños y encuentra a los que lo celebran en el mismo mes que tú. Luego, ordenaos en una fila según el día y mes que habéis nacido.

- *¿Cuándo es tu cumpleaños?*
- ○ *El 1 de julio.*
- *¿Y el tuyo?*

LOS ARTÍCULOS INDETERMINADOS

SINGULAR	PLURAL
un bolígrafo	**unos** helados
una camiseta	**unas** tiendas

*En esta tienda hay **unas** camisetas blancas muy baratas.*

Cuando hablamos del tipo de objeto no se usan artículos.

*Mira, en esta tienda hay **ø** camisetas.*

LOS POSESIVOS TÓNICOS SINGULAR CE: 11 (p. 59)

	MASCULINO	FEMENINO
(yo)	**el mío**	**la mía**
(tú)	**el tuyo**	**la tuya**
(él / ella)	**el suyo**	**la suya**

- *Mi cumpleaños es el 3 de febrero.*
- ○ ***El mío**, el 12 de marzo.*

2. La maleta CE: 3 (p. 54), 4 y 5 (p. 55), 1 (p. 63)

A. Ana está preparando su maleta porque se va de vacaciones. En grupos, mirad la imagen y la lista y encontrad el nombre de cada prenda de ropa.

- *Esto verde es un anorak, ¿no?*
- *Sí, claro.*
- *¿Y cómo se dice "jeans" en español?*

- unos vaqueros
- una camiseta
- una sudadera
- un vestido
- una falda
- una gorra
- unas botas
- un jersey
- un anorak
- unas zapatillas de deporte
- una mochila
- unos guantes
- unos pantalones de esquí
- un bañador
- unos pantalones cortos
- una bufanda
- una chaqueta
- un pijama

APRENDER A APRENDER
Para recordar todas estas **palabras nuevas**, puedes **jugar con ellas**: dilas en voz alta, asócialas a una imagen o a un gesto, dibújalas...

B. Mira la lista durante 30 segundos y cierra el libro. En grupos de tres, ¿de cuántas palabras os acordáis? ¡Gana el grupo que se acuerde de más!

C. Uno de vosotros describe, con al menos cinco frases, lo que lleva puesto un compañero de clase. Los demás tienen que adivinar de quién habla.

ADJETIVOS PARA LA ROPA

grande pequeño

largo

corto

caro

barato

bonito

feo

PREGUNTAR EL PRECIO

- *¿**Cuánto cuesta** la camiseta?*
- *25 (veinticinco) euros.*

- *¿**Cuánto cuestan** los pantalones?*
- *35 (treinta y cinco) euros.*

LAS EXCLAMATIVAS

- *Toma, este jersey es para ti.*
- *¡**Qué** bonito**!** ¡Muchas gracias!*

- *Esta chaqueta cuesta 95 (noventa y cinco) euros.*
- *¡Uy, **qué** cara**!** No me la llevo, gracias.*

3. Compras CE: 6 y 7 (p. 56), 10 (p. 58)

Pistas 49-53

Escucha y lee estos diálogos. Luego, une cada diálogo con la fotografía correspondiente. ¿A qué nombre se refieren las palabras marcadas?

A

una camiseta

B

unas gafas

C

?

D

un anorak

E

unos bolsos

1.
- ● ¿Cuánto cuestan **esas**?
- ○ ¿Cuáles, las verdes? ¿Estas verdes?
- ● Sí.
- ○ 79 euros.
- ● ¡Uf, qué caras!

2.
- ● ¿Me puede enseñar **ese**?
- ○ ¿El rojo o el blanco?
- ● El rojo. ¿Cuánto cuesta?
- ○ 40 euros.
- ● No es nada caro.

3.
- ● ¿Tiene **esta** en azul?
- ○ No, lo siento, solo la tengo en lila.

4.
- ● ¿**Estos** son de piel?
- ○ Sí, claro.
- ● ¿Cuál te gusta más?
- ▲ El marrón. ¡Qué bonito!
- ● A mí también. Me lo llevo.

5.
- ● ¿Qué es **esto**?
- ○ Una bolsa de viaje.
- ● ¿Cuánto cuesta? ¿Es muy cara?
- ○ 15 euros.
- ● Ah, pues es barata... Pero es demasiado grande.

1	2	3	4	5
B				

¿SABES QUE...?

Además del cumpleaños, en España se celebra el **día del santo**, es decir el día de la fiesta del santo o de la divinidad del que se lleva el nombre. Hay felicitaciones y a veces regalos, también para las personas que no son religiosas.

LOS COLORES

- azul/es
- gris/es
- marrón/es

- verde/s
- rosa/s
- naranja/s
- lila/s

- blanco/-a/-os/-as
- negro/-a/-os/-as
- rojo/-a/-os/-as
- amarillo/-a/-os/-as

*El color favorito de Silvia es **el azul**, ¿no?*

DEMASIADO

*Me gusta esta gorra, pero es **demasiado** grande.*

MINIPROYECTO

Con un compañero, aprende de memoria una de las escenas para representarla luego. Fíjate en la entonación y recuerda hacer los gestos de tu personaje.

SER Y ESTAR

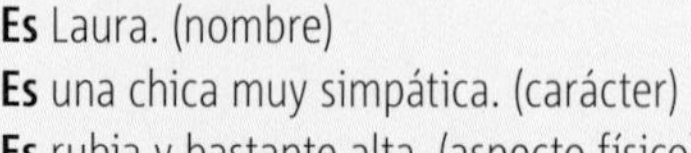

Es Laura. (nombre)
Es una chica muy simpática. (carácter)
Es rubia y bastante alta. (aspecto físico)
Es la hermana de Álvaro. (identificación)
Es chilena. (nacionalidad)

Ahora **está** en clase. (ubicación)

1. Completa las frases de este texto con la forma adecuada de **ser** o **estar**.

Elena y Sofía ...... amigas. Hoy ...... sábado y ...... en el centro comercial. Elena ...... peruana y Sofía ...... española. Las dos ...... en el mismo colegio pero en clases diferentes. Las dos amigas ...... muy diferentes. Elena ...... morena, un poco gordita y muy, muy, simpática y abierta. Sofía ...... rubia y delgada, un poco tímida y muy tranquila.

LAS FECHAS CE: 9 (p. 57), 12 (p. 59)

¿**Cuándo es** tu cumpleaños?
(Es) **El** 3 **de** diciembre.
(Es) **En** enero.

¿**Qué día es** el partido?
(Es) **El** 6 **de** mayo.

*Mi cumpleaños es **el** 23 **de** mayo.*
*Navidad es **el** 25 **de** diciembre.*
*En México, **el** 2 **de** noviembre es el Día de Muertos.*
*En España, el curso escolar empieza **el** 13 **de** septiembre.*
*En Argentina, el curso escolar empieza **el** 27 **de** febrero.*

2. Responde.

a. ¿Qué día es tu cumpleaños?
b. ¿Cuándo es la fiesta nacional de tu país?
c. ¿Cuándo es el Día de la Madre?
d. ¿Qué día empieza el curso escolar?
e. ¿Qué día termina?
f. ¿Cuándo son las vacaciones de primavera?
g. ¿Qué otro día es importante para ti?

LOS DEMOSTRATIVOS CE: 3 (p. 61)

	MASCULINO	FEMENINO
SINGULAR	**este** jersey	**esta** falda
PLURAL	**estos** jerseys	**estas** faldas

Se usan para señalar objetos o personas que están próximos a la persona que habla.

	MASCULINO	FEMENINO
SINGULAR	**ese** jersey	**esa** falda
PLURAL	**esos** jerseys	**esas** faldas

Se usan para señalar objetos o personas que están próximos a la persona que escucha o lejos de ambas.

Cuando nos referimos a algo cuyo género no está determinado usamos **esto** o **eso**.

*¿Qué es **esto**?*

Pues no lo sé. ¿Un gorro?

3. Elige la frase que corresponde a la imagen.

A

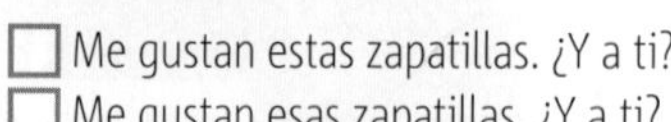

☐ Me gustan estas zapatillas. ¿Y a ti?
☐ Me gustan esas zapatillas. ¿Y a ti?

B

☐ ¿De quién es este libro?
☐ ¿De quién es ese libro?

C

☐ Toma. Esta raqueta es para ti.
☐ Toma. Esa raqueta es para ti.

D

☐ ¿Qué es esto? ¿Una camiseta o un vestido?
☐ ¿Qué es eso? ¿Una camiseta o un vestido?

UNOS PANTALONES...

CE: 2 (p. 62)

1. ¿Qué puedes decir de una chaqueta?

B DE "BEBER", V DE "VIDA"

Pista 54

1. Escucha estas palabras y mira cómo se escriben. ¿Qué observas?

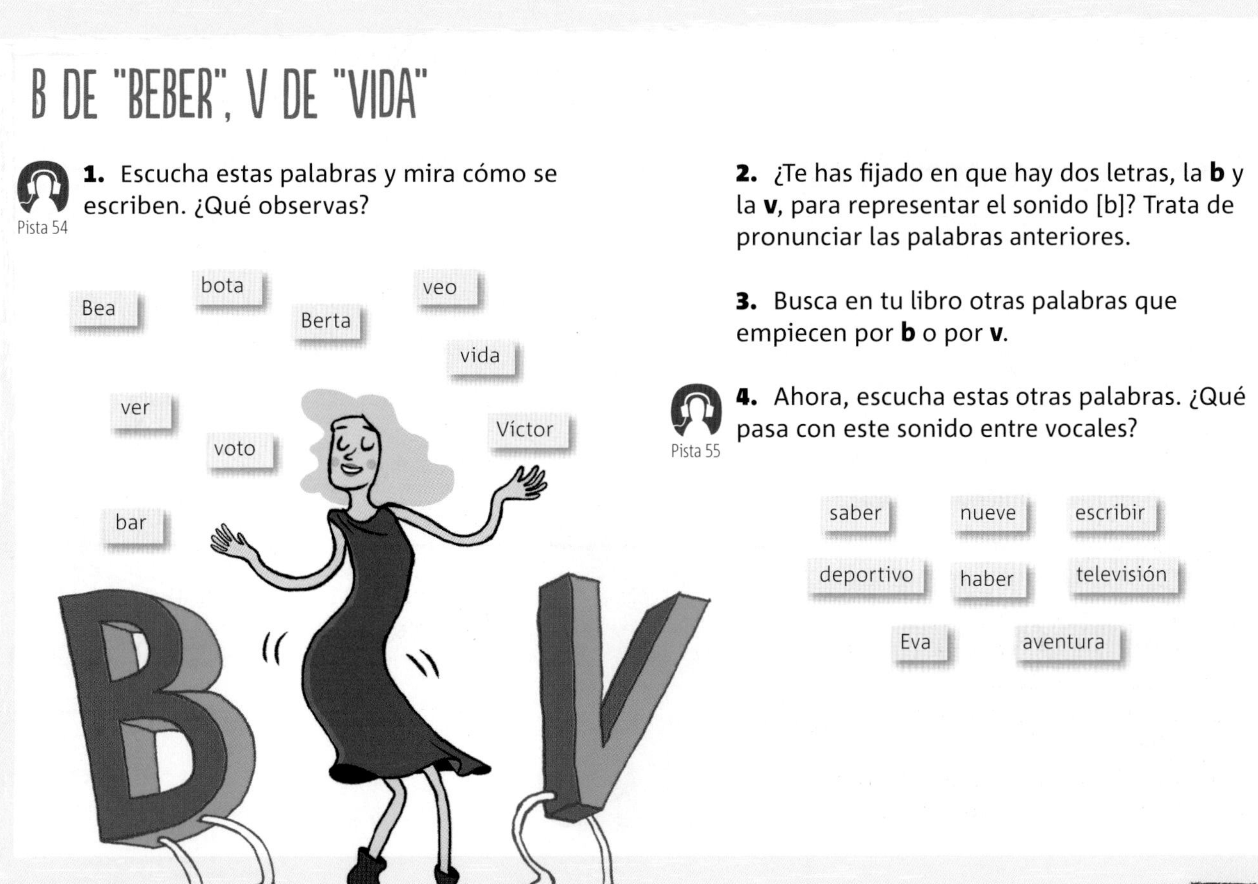

2. ¿Te has fijado en que hay dos letras, la **b** y la **v**, para representar el sonido [b]? Trata de pronunciar las palabras anteriores.

3. Busca en tu libro otras palabras que empiecen por **b** o por **v**.

Pista 55

4. Ahora, escucha estas otras palabras. ¿Qué pasa con este sonido entre vocales?

saber | nueve | escribir

deportivo | haber | televisión

Eva | aventura

LA REVISTA

Miró, el pintor del color

Rojo, azul, amarillo, verde, blanco y negro. Estos son los colores de Joan Miró (Barcelona, 1893–Palma de Mallorca, 1983).

Miró es un artista sin límites. Combina los colores y las formas geométricas con mucha libertad. Sus obras son originales y alegres: pinturas, cerámicas, murales y esculturas que se pueden admirar en los edificios y calles de ciudades como Madrid, Barcelona, Tokio o San Francisco. Miró es un poeta de la pintura.

Mujer y pájaro, 1967 (fragmento)

VÍDEO
Cambio de imagen

Hilario no viste muy bien: tiene aspecto de chico raro y anticuado. Pero alguien quiere ayudarlo a encontrar un estilo más moderno. ¿Van a conseguirlo?

CANCIÓN

Pista 56

Cumpleaños feliz

Cumpleaños feliz,
cumpleaños feliz,
te deseamos todos...
¡cumpleaños feliz!

Campaña Ropa Limpia

La mayoría de la ropa que llevamos se hace en países con salarios muy bajos. La campaña Ropa Limpia, que se desarrolla en once países, apoya un consumo responsable de prendas de ropa. Para ello:

Investiga las condiciones de trabajo de las fábricas textiles.

Denuncia las injusticias que hay en las grandes empresas textiles.

Conciencia a la sociedad contra estos abusos.

La campaña Ropa Limpia ayuda a mejorar las condiciones de los trabajadores textiles.

Te invitamos a informarte, a reflexionar y a actuar sobre lo que se esconde tras la ropa que consumimos, la moda, la publicidad de las marcas, las rebajas...

TRAS LA ETIQUETA
arte, reflexión, denuncia, trabajo en red
¿Sabes qué se esconde tras la etiqueta de tu ropa?
NOVIEMBRE
100 % SIN EXPLOTACIÓN
CAMPAÑA ROPA LIMPIA www.ropalimpia.org
Coordina:
Setem
www.setem.org/navarra

La caricia de un pájaro, 1967

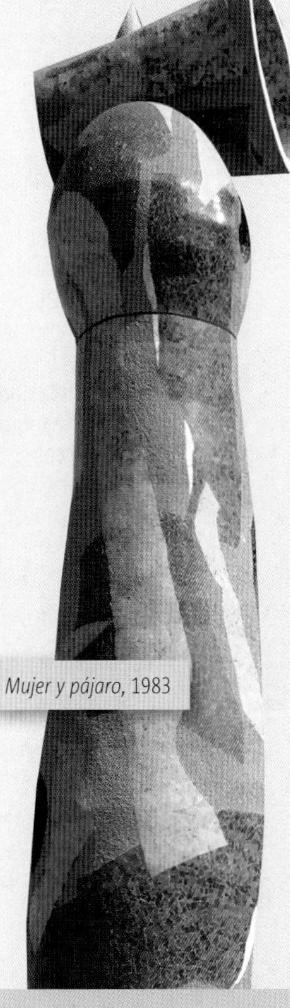

Mujer y pájaro, 1983

Las quinceañeras

Lady es venezolana y hoy es su cumpleaños, pero un cumpleaños especial: la fiesta de los quince años, que simboliza el paso de niña a mujer. Para la fiesta, Lady lleva un vestido largo de color claro, anillos, collares y una pequeña corona. También lleva zapatos de tacón.

Los invitados también van vestidos con trajes muy elegantes.

En la fiesta, Lady baila un vals con su padre y con sus hermanos, recibe un ramo de 15 rosas y apaga las 15 velas de su pastel. Luego, todos bailan y brindan por ella.

La fiesta de los quince años es muy importante para muchas chicas latinoamericanas y se celebra en muchos países: México, Cuba, Venezuela, Colombia, Perú, Argentina, Paraguay, Uruguay y en la numerosa comunidad hispana que vive en los Estados Unidos.

¡QUÉ ORIGINAL!

¡FELIZ CUMPLEAÑOS!

VAMOS A HACER EL CALENDARIO DE LOS CUMPLEAÑOS DE LA CLASE.

A. Entre todos, preguntamos a cada compañero cuándo es su cumpleaños y lo anotamos en un calendario grande.

- ¿Cuándo es tu cumpleaños?
- El 24 de febrero.

B. En grupos de tres: el profesor va a dar a cada grupo el nombre de tres compañeros para los que hay que elegir un regalo. Primero pensáis en los regalos. Luego les hacéis preguntas para saber si es un regalo adecuado.

- ¿Tienes...?
- ¿Te gusta/n...?
- ¿Practicas algún deporte?

¿QUÉ NECESITAMOS?

En papel
- un calendario grande
- rotuladores
- fotos o dibujos de regalos

Con ordenador:
- un programa para dibujar un calendario
- fotos digitales de regalos
- un proyector en la clase

C. Finalmente completáis el calendario pegando imágenes de los regalos y presentáis a la clase vuestra decisión.

- A Sara le regalamos un MP3 porque le gusta mucho música y porque no tiene.
- Y también un CD de Shakira...

DE COMPRAS

VAIS A REPRESENTAR UNA ESCENA EN UNA TIENDA.

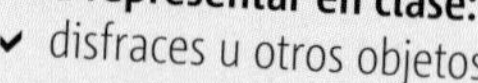

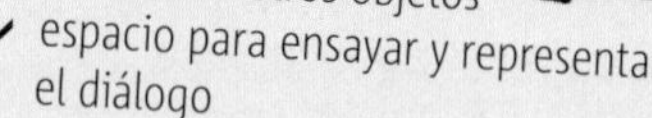

¿QUÉ NECESITAMOS?

Para representar en clase:
- disfraces u otros objetos
- espacio para ensayar y representar el diálogo

Con cámara y proyector:
- disfraces u otros objetos
- una cámara para filmar la escena
- un proyector en el aula

A. En grupos de tres: dos alumnos hacen de clientes y otro de vendedor. Escribid un diálogo con estos elementos:

- preguntar si tienen lo que queréis comprar
- preguntar cuánto cuesta y el color
- comentar con el compañero si os gusta, si es grande, si es caro, si es bonito...
- pagar

B. Ensayad y... ¡ya podéis hacer la representación! Podéis grabar la escena.

APRENDER A APRENDER
Cuando hablamos, utilizamos el cuerpo para **transmitir muchas cosas**. Cuando hables una lengua extranjera, recuerda ayudarte con los **gestos**.

Un chico y una chica representan una escena en una tienda.

COMPRENSIÓN LECTORA

1. Lee el texto y completa esta tabla.

años que cumple Bea	
invitados	
regalos	
qué hacen	
horario	

Hoy es el cumpleaños de Beatriz. Cumple 14 años y hace una gran fiesta en su casa. La fiesta empieza a las siete. A la fiesta van bastantes amigos, doce en total: cinco chicos y siete chicas. Beatriz recibe muchos regalos: dos camisetas, un libro, dos vídeos, unos pendientes y una mochila. Su madre le regala el pastel de chocolate con catorce velas, todas de colores diferentes. Todos cantan *Cumpleaños feliz*. Luego bailan, charlan y se van a las once. Bea está muy contenta pero muy cansada.

EXPRESIÓN ORAL

2. Vas a anunciar las rebajas de unos grandes almacenes. Tienes que anunciar 10 prendas y decirlas una por una con el precio. Grábalo.

Rebajas en Supercompras: Vaqueros blancos de chico: 50 euros. Camisetas...

EXPRESIÓN ESCRITA

3. Busca una fotografía de un chico o de una chica que te guste cómo van vestidos. Llévala a clase. Describe el personaje de tu foto, con todas las prendas de ropa y sus colores.

INTERACCIÓN ORAL

4. Habla con un compañero y encontrad las afinidades que tenéis.

- ¿Cuáles son vuestros colores preferidos?
- ¿De qué color veis las vacaciones?
- ¿De qué color veis la lengua española?
- ¿De qué color veis vuestro colegio?
- ¿De qué color veis a vuestros padres?
- ¿De qué color veis a vuestros amigos?
- ¿De qué color veis a vuestros profesores?
- ¿De qué color veis vuestras asignaturas?

COMPRENSIÓN ORAL

Pista 57

5. Escucha el diálogo y responde a las preguntas.

a. ¿Cuándo es la fiesta de Liliana?
- El sábado 19 de marzo.
- El sábado 19 de mayo.
- El sábado 17 de mayo.

b. ¿Qué quiere comprar Fany?
- Un CD.
- Una camiseta.
- Un DVD.

c. ¿Cuánto dinero tiene Natalia para el regalo de Liliana?
- 12 euros.
- 10 euros.
- 15 euros.

d. ¿Qué le compran finalmente?
- Una camiseta roja con dibujos blancos.
- Una camiseta de colores.
- Una camiseta blanca con una fotografía.

e. ¿Cuánto cuesta esa camiseta?
- 17 euros.
- 27 euros.
- 37 euros.

¡BUEN VIAJE!

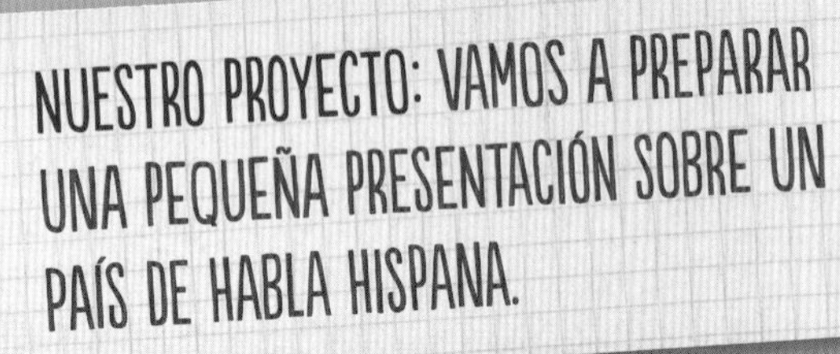

NUESTRO PROYECTO: VAMOS A PREPARAR UNA PEQUEÑA PRESENTACIÓN SOBRE UN PAÍS DE HABLA HISPANA.

VAMOS A...

 leer sobre países y hábitos en los viajes; leer un foro, un folleto turístico y una entrevista;

 escuchar conversaciones sobre el tiempo y sobre planes de vacaciones; escuchar a una persona hablando de su país;

 preparar una ficha sobre un país; escribir una postal;

 identificar, describir y situar lugares; describir el clima de nuestra región; contar experiencias; presentar un país;

 conversar sobre lugares, sobre el clima y sobre el tiempo; hablar de planes de futuro;

 ver un reportaje sobre la ciudad de Valladolid.

VAMOS A APRENDER...

- el pretérito perfecto;
- el presente para hablar del futuro;
- la perífrasis **ir a** + infinitivo;
- la impersonalidad con **se**;
- las frases de relativo;
- los superlativos;
- marcadores y preposiciones de lugar: **en**, **al norte** / **sur de**...;
- adjetivos para describir lugares: **bonito**, **precioso**, **increíble**...;
- los números a partir del 100;
- léxico para hablar del tiempo, del clima y de las estaciones;
- léxico sobre viajes, geografía y medios de transporte;
- los sonidos de las letras **y**, **ll**, **ch** y **ñ**.

MI RUTA POR LATINOAMÉRICA

Salto del Ángel (Venezuela)

Es el salto de agua más alto del mundo y está en la selva. ¡Caminamos 13 horas para llegar!

Ruinas incas de Machu Picchu (Perú)

Es uno de los monumentos más visitados del mundo. Está en los Andes y es impresionante.

....

Los moáis de la isla de Pascua (Chile)

Son estatuas gigantes de hasta 11 metros y no se sabe exactamente cuál es su significado.

....

La pirámide maya de Chichén Itzá (México)

Es una construcción religiosa de la civilización maya. Está relacionada con la astronomía.

....

El viaje de Jorge

Estas son las notas del cuaderno de viaje de Jorge. ¿Cómo termina cada una?

1. ... Son las ruinas de una ciudad sagrada del siglo XV.
2. ... Tiene 978 metros y es una de las siete maravillas naturales del mundo.
3. ... Tiene 365 escalones, uno por día del año.
4. ... Están en el océano Pacífico, a 3526 kilómetros de la costa.

1. ¿Qué tal vas de geografía?

CE: 1 (p. 65), 4 (p. 66)

A. ¿Qué es o qué son estos lugares?

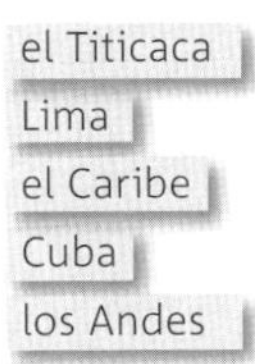

el Titicaca	el Aconcagua	el Orinoco
Lima	Caracas	Honduras
el Caribe	Bolivia	el Atlántico
Cuba	el Amazonas	
los Andes	San José de Puerto Rico	

una ciudad

un lago

un mar

una isla

una montaña

un río

un océano

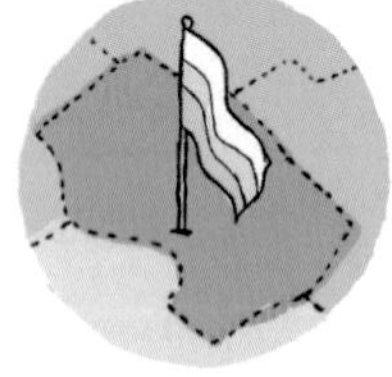

un país

la capital de...

El Titicaca es un lago.

B. ¿Dónde están estos lugares? Consulta en internet o en un atlas y escribe la frase completa.

El Titicaca es un lago que está en el norte de Bolivia.

C. En grupos de tres, pensad cuáles de estas frases son verdad. Vuestro profesor os dará las soluciones. ¿Qué grupo ha acertado más?

- Cuba es una isla.
- México es el país latinoamericano más grande.
- Argentina tiene 5 millones de habitantes.
- En Paraguay se hablan dos lenguas, el español y el guaraní.
- En Estados Unidos hay más de 40 millones de personas que hablan español.
- Los Andes están en Centroamérica.
- Las islas Canarias están en el Caribe.
- Chichén Itzá es un monumento que está en Ecuador.
- La isla de Pascua es peruana.
- Rosario es una ciudad chilena.

● *¿Cuba es una isla?*
○ *Yo creo que sí.*
● *Yo no lo sé.*
○ *Sí, sí, es una isla. Seguro.*

¿SABES QUE...?

En América hay **más de mil lenguas indígenas** anteriores a la llegada del español. Algunas de ellas son el **quechua**, el **guaraní**, el **aimara** y el **náhuatl**.

EL TIEMPO

Hace (mucho / bastante) **calor** / **frío** / **viento** / **sol**

Hace (muy) **buen tiempo** / **mal tiempo**

Llueve / **Nieva** mucho / bastante

DESCRIBIR LUGARES

Es un país muy pequeño / bonito / ...

Tiene cinco millones de habitantes.
140 000 km^2.
un clima tropical / continental / mediterráneo.

SITUAR LUGARES

España **está** **al norte de** Marruecos.
al sur de Francia.
al este de Portugal.
al oeste de Italia.

Santander está **en el norte** (de España).

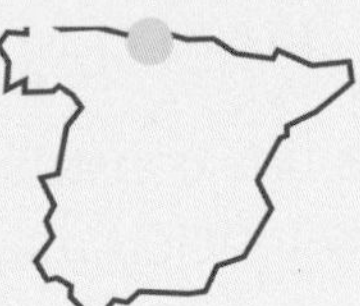

2. Nicaragua, un país entre dos océanos CE: 3 (p. 66), 1 (p. 72), 2 (p. 73)

A. Lee la ficha sobre Nicaragua. Luego cierra el libro. ¿Quién recuerda más datos?

Nicaragua

CAPITAL: Managua.

SITUACIÓN: Nicaragua limita al norte con Honduras, al sur con Costa Rica, al este con el océano Atlántico y al oeste con el océano Pacífico.

EXTENSIÓN: 130 668 km^2. Es el país más grande de América Central.

HABITANTES: 5 000 000.

MONEDA: córdoba.

IDIOMAS: español, creole, misquito y mayagna.

RÍOS: río Wangki (o río Coco) y río San Juan.

LAGOS: lago de Nicaragua y lago de Managua.

PRINCIPALES PRODUCTOS: café, azúcar, oro y marisco.

GRUPOS ÉTNICOS: mestizos 69 %, de descendencia europea 17 %, de descendencia africana (creoles) 9 %, amerindios (misquitos y mayagnas) 5 %.

CLIMA: tropical (dos estaciones al año, la seca y la húmeda). Temperatura estable todo el año.

LUGARES DE INTERÉS: volcanes Masaya y Momotombo; reserva natural de río Bartola; León (catedral y casa natal del poeta Rubén Darío), Granada (casas coloniales) y Waspán (poblaciones indígenas).

B. En grupos, buscad información en internet y preparad una ficha igual sobre otro país de Latinoamérica.

3. ¡Qué frío! CE: 13 (p. 70)

Pista 58

A. Escucha esta conversación y di si estas informaciones son verdaderas o falsas.

- Juan Esteban vive en Colombia.
- En Colombia hay tres estaciones.
- En Colombia no hay invierno.
- A Juan Esteban le gusta la nieve.
- El clima de Colombia es tropical.
- En Colombia nunca llueve.

APRENDER A APRENDER
Concéntrate en las **palabras marcadas**. Son las que te van a ayudar a entender el diálogo y a realizar la actividad.

B. ¿Cómo es el clima de la región o del país donde vives? Habla con un compañero.

EL SUPERLATIVO

*Belice es **el** país **más** pequeño **de** América.*
*El Everest es **la** montaña **más** alta **de**l mundo.*

LA IMPERSONALIDAD CON SE

*En España **se** juega mucho al fútbol.*
*En México **se** hablan varios idiomas.*

LAS FRASES DE RELATIVO

*Es un país **que** tiene muchas montañas.*

*Es un país **en el que** se habla francés.*
*Es una región **en la que** se cultiva café.*
*Es una ciudad **donde** se hacen películas.*

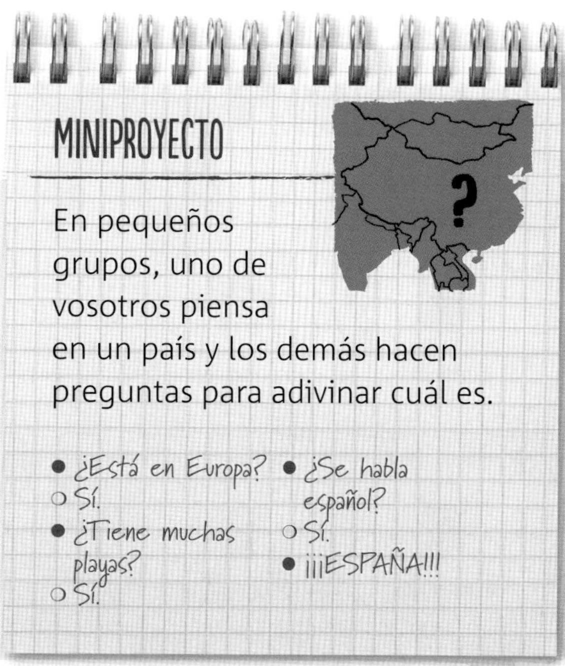

MINIPROYECTO

En pequeños grupos, uno de vosotros piensa en un país y los demás hacen preguntas para adivinar cuál es.

- ¿Está en Europa?
- Sí.
- ¿Tiene muchas playas?
- Sí.
- ¿Se habla español?
- Sí.
- ¡¡¡ESPAÑA!!!

4. Dos familias muy viajeras CE: 9 (p. 69), 14 (p. 70), 3 (p. 73)

A. Lee estos dos textos. ¿Con qué familia te gustaría más viajar: con la de Miriam o con la de Diego? ¿Por qué?

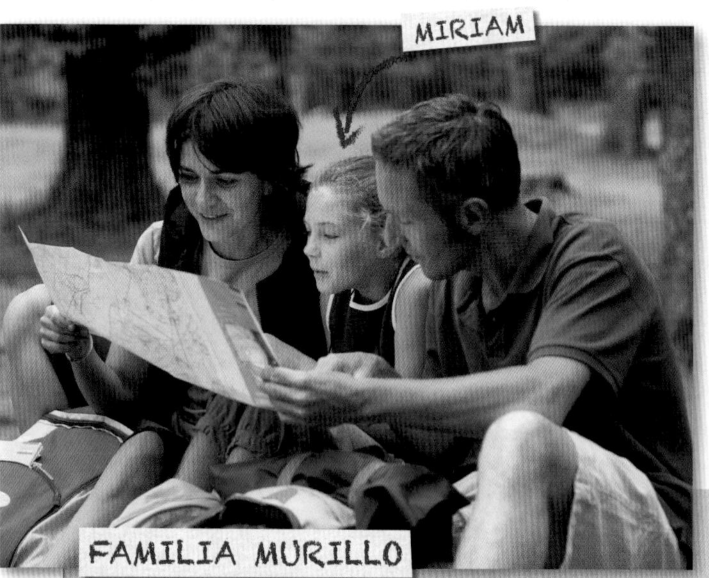

A los Murillo les gusta sobre todo la naturaleza. Cuando viajan no llevan maletas: llevan mochilas con las cosas imprescindibles, porque normalmente viajan en autobús y en tren. A Miriam le gustan mucho los deportes de aventura. Ha estado en Costa Rica y allí ha buceado en el Caribe, ha subido a un volcán y ha caminado por la selva. En los Pirineos ha hecho trekking, ha navegado en kayak y ha practicado rafting. Su sueño es viajar algún día a la India y montar en elefante.

Cuando tienen vacaciones, a los Calvo les gusta conocer ciudades y también descansar. Normalmente hacen viajes organizados y buscan lugares con buen tiempo. En sus viajes, Diego ha visitado Londres, París, Roma... Allí ha visitado museos, ha ido a conciertos, ha paseado por las calles y ha comido en todo tipo de restaurantes. A sus padres y a su hermana les gusta mucho ir de compras, pero a él no. También han estado en varios parques como Port Aventura y Disneyland Paris. ¡Eso sí le gusta!

B. En los textos hay un nuevo tiempo: el pretérito perfecto. Haz la lista de todos los verbos que están en este tiempo y escribe cuál es su infinitivo.

ha buceado → bucear

C. ¿Has hecho alguna vez alguna de las cosas que han hecho Miriam o Diego?

Yo también he subido a un volcán, en Tenerife.

LAS ESTACIONES CE: 1 (p. 74)

el otoño

la primavera

el invierno

el verano

***En** Navidad nos reunimos con nuestros abuelos, tíos y primos.*

*Las vacaciones de Semana Santa son **en** marzo o **en** abril.*

***En** las vacaciones de verano siempre vamos a la playa.*

EL PRETÉRITO PERFECTO

presente de **haber** + participio

he	
has	est**ado**
ha	com**ido**
hemos	viv**ido**
habéis	
han	

Participio: **-ar** → **-ado** | **-er, -ir** → **-ido**

*En Argentina **he comido** carne muy buena.*

5. Nos vamos de vacaciones

CE: 7, 8 (p. 68), 15 (p. 71), 1 (p. 75)

A. Lee este foro sobre las vacaciones y contesta a las preguntas. Puede haber varias respuestas.

¿Quién se queda en casa?
¿Quién va a la playa?
¿Quién va a la montaña?
¿Quién sale de España?
¿Quién va en avión?
¿Quién va en coche?
¿Quién se va más de quince días?
¿Quién no va con la familia?

¿QUÉ VAIS A HACER EN VACACIONES?

Marcos Este año voy a ir como siempre quince días a Ibiza con mis padres. La isla nos gusta mucho a todos. Nos quedamos en un hotel en la playa y allí podemos bucear, nadar y hacer surf. Solemos ir hasta allí en barco y así podemos llevar el coche para hacer excursiones.

Ágata Mi madre y yo hacemos todos los años un viaje de dos semanas. Este año vamos a hacer un crucero por el Mediterráneo: vamos a visitar Italia, Malta y Túnez.

Inés Este verano, mis padres trabajan los dos porque tienen un restaurante. Mi hermano y yo vamos a ir a Villarramiel, el pueblo de nuestros abuelos, en julio y agosto. A mí me gusta mucho porque allí tengo muchos amigos y vamos todos los días a la piscina. Además, durante las fiestas... ¡podemos salir por la noche a la plaza hasta muy tarde!

Victoria Estas vacaciones voy un mes a Irlanda a perfeccionar mi inglés. Voy sola y... ¡en avión! Luego voy a quedarme el resto del verano en casa, en Madrid. Es un poco aburrido pero este año mi mejor amiga también se queda en casa. ¡¡Por suerte!!!

Abel Con mi familia vamos todos los años a un camping de Huesca, en los Pirineos, todo el mes de agosto. Tenemos una autocaravana y allí ya tengo varios amigos. Estamos cerca de un pueblo y hacemos muchas excursiones a lagos y ríos para bañarnos. ¡Este año vamos a subir una montaña de 3000 metros!

Pista 59

B. Pedro y Julia hablan de sus vacaciones. Escúchalos y escribe dos cosas que va a hacer cada uno.

¿SABES QUE...?

Los chicos españoles tienen casi tres meses de **vacaciones** en verano. Tienen dos semanas en Navidad y una en Semana Santa, pero no tienen vacaciones a mitad de trimestre.

HABLAR DE PLANES

este verano / otoño / invierno / año / ...
esta primavera / semana / mañana / ...
estas vacaciones / Navidades / ...
mañana / pasado mañana
el año que viene / la semana próxima
el día 10
el lunes / martes / ...
en junio / Semana Santa / ...

IR A + INFINITIVO

*Este verano **voy a viajar** por Alemania.*
*Mañana **voy a salir** con Laura.*

EL PRESENTE PARA HABLAR DEL FUTURO

*La semana próxima **voy** a París.*
*Estas vacaciones **me quedo** en casa.*

MINIPROYECTO

En parejas, contaos lo que vais a hacer las próximas vacaciones. Luego, cada uno cuenta a la clase lo que va a hacer su compañero.

- ¿Tú qué vas a hacer en vacaciones?
- Pues este verano...

LAS FRASES DE RELATIVO

Perú es un país. + *Perú tiene muchas montañas.*

↓

*Perú es un país **que** tiene muchas montañas.*

México es un país. + *En México se hablan muchas lenguas.*

↓

*México es un país **en el que** se hablan muchas lenguas.*
*México es un país **donde** se hablan muchas lenguas.*

1. Une estas frases añadiendo un pronombre relativo.

a. El Salto del Ángel es una cascada. + Está en Venezuela.
b. Puerto Rico es un país. + Se habla español e inglés.
c. Los Pirineos son unas montañas. + Se practican muchos deportes.
d. Tengo dos tíos. + Son profesores.

LOS SUPERLATIVOS

*Belice es **el** país **más** pequeño **de** América.*
*Aucanquilcha es **la** ciudad **más** alta **de** América.*

2. ¿Cuál es la ciudad más bonita? ¿Y la región más grande? Haz frases como las del ejemplo pero referidas a tu país.

grande
alto/a
bonito/a
lluvioso/a
interesante
largo/a
ciudad
región
lago
río
montaña

El río más largo de ... es el ....

LOS NÚMEROS A PARTIR DEL 100

▶ CE: 2 (p. 65), 5 y 6 (p. 67)

100 **cien**
200 **doscientos/as**
300 **trescientos/as**
400 **cuatrocientos/as**
500 quinientos/as
600 **seiscientos/as**
700 **setecientos/as**
800 **ochocientos/as**
900 **novecientos/as**
101 **ciento un/uno/una**
102 **ciento dos**
110 **ciento diez**
120 **ciento veinte**

1000 **mil**
2000 **dos mil**
10 000 diez mil
100 000 **cien mil**
200 000 **doscientos/as mil**
...
un millón
diez millones
...
15 714 359 **quince millones setecientos catorce mil trescientos cincuenta y nueve**
632 457

3. Escribe los números que faltan en los huecos.

EL PRETÉRITO PERFECTO ▶ CE: 10, 11 y 12 (p. 69)

Formación del pretérito perfecto:

PRESENTE DE **HABER**	+ PARTICIPIO
he	viaj**ado**
has	viaj**ado**
ha	viaj**ado**
hemos	viaj**ado**
habéis	viaj**ado**
han	viaj**ado**

Formación del participio:

verbos en **-ar** → **-ado**	verbos en **-er** / **-ir** → **-ido**
habl**ar** → habl**ado**	com**er** → com**ido** sub**ir** → sub**ido**

Algunos participios irregulares:

ver → **visto**
hacer → **hecho**
poner → **puesto**
ser → **sido**
decir → **dicho**
escribir → **escrito**

El pretérito perfecto tiene varios usos. Uno de ellos es hablar de una acción pasada sin informar de cuándo ha tenido lugar.
*¿**Has volado** alguna vez en globo?*
*No, yo no **he volado** nunca en globo.*
*Yo sí. Yo lo **he hecho** tres veces.*

4. ¿Eres una persona aventurera o atrevida? ¿Cuál de estas cosas has hecho alguna vez en tu vida?

a. (Ver) animales muy peligrosos.
¿Has visto animales muy peligrosos?
b. (Hacer) windsurf en playas de mucho viento.
c. (Practicar) el buceo en un océano.
d. (Decir) alguna vez "No, tengo miedo."
e. (Subir) a una montaña de más de 3000 metros.
f. (Cantar) delante de mucha gente.

HABLAR DE PLANES

Para hablar de planes futuros usamos la construcción **ir a** + infinitivo o bien el presente de indicativo.

*Este verano **vamos a viajar** por Perú.* / *Este verano **vamos** a Perú.*
*Mañana **voy a salir** con Luis.* / *Mañana **salgo** con Luis.*

5. Haz frases sobre lo que vas a hacer el fin de semana. Puedes usar algunas de estas expresiones.

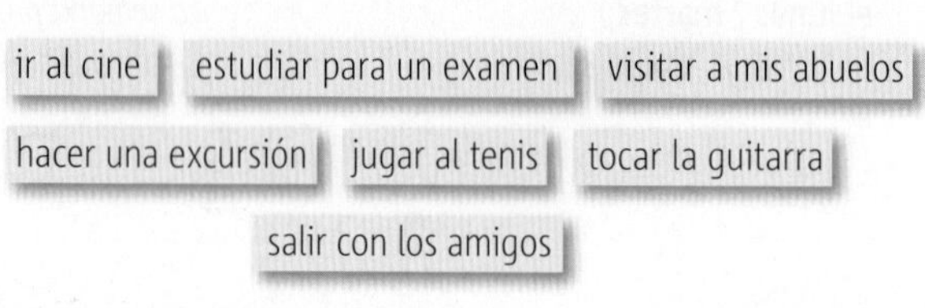

ir al cine
estudiar para un examen
visitar a mis abuelos
hacer una excursión
jugar al tenis
tocar la guitarra
salir con los amigos

MEDIOS DE TRANSPORTE Y PREPOSICIONES DE LUGAR CE: 2 (p. 74)

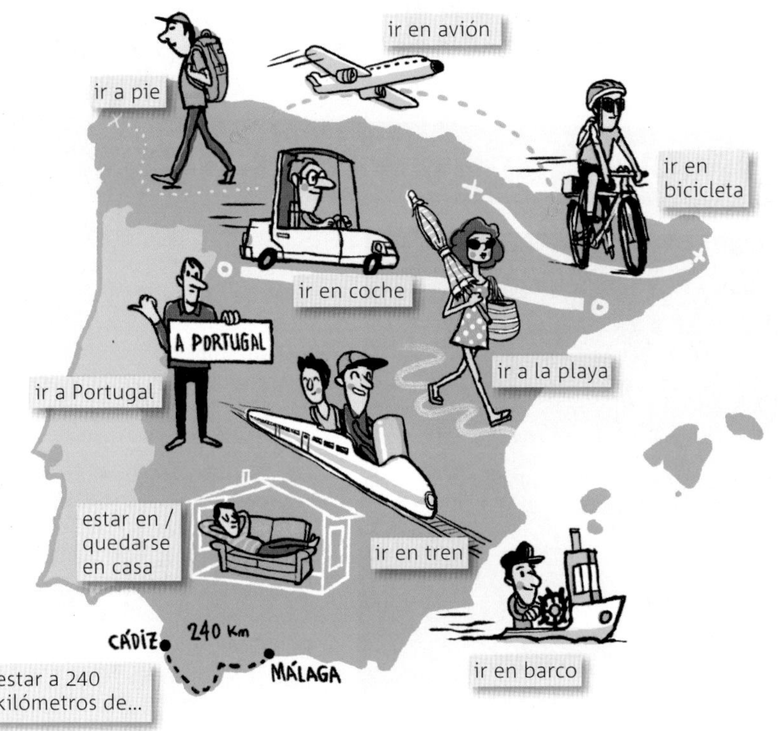

1. Completa este texto con las preposiciones que faltan.

Este verano vamos ...... ir ...... vacaciones ...... las islas Canarias. Queremos ir ...... avión y después hacer excursiones ...... coche. Nos vamos a quedar ...... un pequeño hotel ...... el este de la isla. El hotel está cerca de una playa, y hay muchas otras playas ...... pocos kilómetros de distancia.

EN EL PALADAR: CH, Ñ, Y, LL

Pista 60

1. En estas palabras tienes letras que no se pronuncian igual en español y en otras lenguas. Escúchalas.

MUCHA CHILE
COCHE ESCUCHA

Se pronuncia con los dientes casi juntos y la lengua en el velo del paladar.

MONTAÑA TOÑO
AÑO BAÑO

Se pronuncia juntando la lengua con el paladar y expulsando el aire por la nariz.

ÑAM ÑAM

Pista 61

2. Ahora vas a escuchar estas palabras que contienen otros sonidos palatales. Las pronuncia un español.

CALLE LLUEVE PAELLA
TALLA LLAVE SILLA

PLAYA SUYA YA
CAYETANA MAYOR VAYA

Pista 62

3. A continuación, vas a oír las mismas palabras pronunciadas por un latinoamericano. En gran parte de América Latina y de España, **ll** y **y** se pronuncian igual. ¿Cómo suena?

Suena como...

LA REVISTA

La América tropical

TOUR DE CANOPY EN COSTA RICA

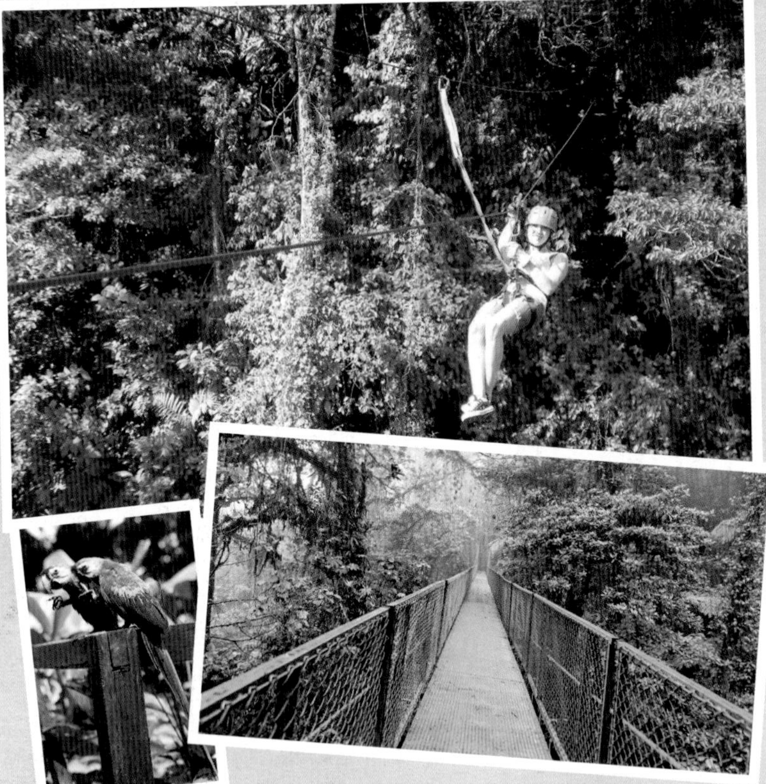

12 plataformas y un recorrido de dos kilómetros con ocho cables, dos puentes colgantes y varias torres.

DURACIÓN
Aproximadamente una hora.

SEGURIDAD
Contamos con guías muy experimentados en este tipo de actividad. Además, nuestros materiales e instalaciones han pasado los controles de seguridad más estrictos.

RECOMENDACIONES
Llegar temprano, llevar ropa cómoda, sombrero, crema solar y repelente para insectos.

CLIMA
Es caluroso y húmedo. La temperatura promedio anual es de 30 ºC (grados centígrados).

HORARIO
El parque está abierto todos los días del año de 8:30 a 5:00 h.

La Amazonia: ¡la selva más grande del mundo en peligro!

La selva tropical está desapareciendo: 5200 hectáreas al día, lo equivalente a ocho campos de fútbol por minuto.

Esta selva tiene una extensión de 600 millones de hectáreas por varios países: Brasil, Perú, Bolivia, Ecuador, Surinam, Guayana, Venezuela y Colombia. Allí viven el 50 % de todas las especies animales del planeta y representa el 30 % de los bosques tropicales. Los seres humanos también están muy afectados. Solo en Brasil hay 330 000 indígenas, 220 etnias y 180 idiomas.

VÍDEO

Valladolid desde el aire

Valladolid es una ciudad castellana muy antigua que está en la mitad norte de la península Ibérica. Vamos a ver el río, los monumentos, los parques, las plazas...

¡HIP HOP LATINO!

Calle 13 es un grupo de música muy popular de Puerto Rico. Han ganado muchos premios Grammy y sus letras tratan de temas sociales y críticos. ¡Búscalos en internet!

Tú no puedes comprar al viento.
Tú no puedes comprar al sol.
Tú no puedes comprar la lluvia.
Tú no puedes comprar el calor.
Tú no puedes comprar las nubes.
Tú no puedes comprar los colores.
Tú no puedes comprar mi alegría.
Tú no puedes comprar mis dolores.

(Extracto de la canción *Latinoamérica*)

ALGUNOS SE VAN DE VACACIONES...

MANO3

UN LUGAR INTERESANTE

VAMOS A PREPARAR EN GRUPOS UNA PEQUEÑA PRESENTACIÓN SOBRE UN PAÍS O UNA REGIÓN DONDE SE HABLA ESPAÑOL.

¿QUÉ NECESITAMOS?

En papel:
- buscar información en internet, en folletos de agencias de viajes, preguntar a gente que conoce el lugar...
- cartulinas, rotuladores, tijeras y pegamento
- fotografías y mapas en papel

Con el ordenador:
- buscar información en internet, en folletos de agencias de viajes; preguntar a gente que conoce el lugar...
- un programa para hacer presentaciones (Power Point, Keynote...)
- un proyector en clase

A. Vamos a agruparnos según los lugares que nos interesan. Puede ser un país que nos gustaría visitar o que conocemos.

- ● ¿Quién quiere trabajar sobre México?
- ○ ¿Y sobre los Andes?
- ■ ¿Y...?

B. Luego, vamos a hacer una lista de temas sobre los que queremos hablar.

- situación
- habitantes
- idioma/s
- lugares de interés
- clima
- ...

C. Vamos a buscar información y a preparar un guión para la presentación oral. También podéis preguntar a alguien que ha estado en ese lugar.

D. Presentamos nuestro trabajo al resto de la clase con la ayuda de audiovisuales o de pósters.

APRENDER A APRENDER
En tu presentación, ¡no quieres aburrir a tus compañeros! Busca **temas interesantes** para ti y explícalos con un **lenguaje claro y sencillo**.

Unos alumnos presentan una región de habla hispana.

COMPRENSIÓN LECTORA

1. Lee esta entrevista a una periodista que ha viajado mucho por Latinoamérica y coloca las preguntas en su lugar correspondiente.

a. ¿Cómo es el clima?
b. ¿Tienes un lugar favorito?
c. ¿Cuál es tu próximo viaje y qué vas a hacer?
d. ¿Por qué te gusta ese lugar: qué tiene de especial?
e. ¿Cuáles han sido tus viajes más interesantes?

VENTANA AL MUNDO
LA REVISTA DEL IES PACO IBÁÑEZ

Marisa Prado es una de las periodistas más aventureras de nuestro país. Ha sido corresponsal de varios periódicos por todo el mundo y nunca se ha cansado de conocer gente, lugares e historias nuevas.

Pregunta:

Respuesta: *Difícil de contestar porque he viajado mucho. Creo que la selva en Venezuela, el desierto en Chile y las montañas en Perú han sido los lugares más interesantes.*

Pregunta:

R: *Sí, una pequeña playa de Cuba.*

Pregunta:

R: *Allí he hecho mis mejores amigos y he pasado las noches más mágicas bailando y escuchando música.*

Pregunta:

R: *Es típico tropical. Hace calor y mucho sol. A veces llueve pero por poco tiempo.*

Pregunta:

R: *Este verano voy a volver a Cuba. Voy a ir a un festival de son, un estilo musical cubano, a una pequeña ciudad en la costa. También quiero visitar el museo de la música, donde hay muchos instrumentos tradicionales y se estudia el origen de la música cubana. ¡Por una vez, no va a ser un viaje de trabajo!*

Nos despedimos de Marisa y le deseamos mucha suerte en sus próximos viajes.

COMPRENSIÓN ORAL

Pista 63

2. Escucha a una profesora hablando de su país, México, y completa esta tabla.

Situación	
Número de habitantes	
Lenguas que se hablan	
Extensión	
Clima	
Es famoso por...	
Capital y otras ciudades importantes	
Moneda	

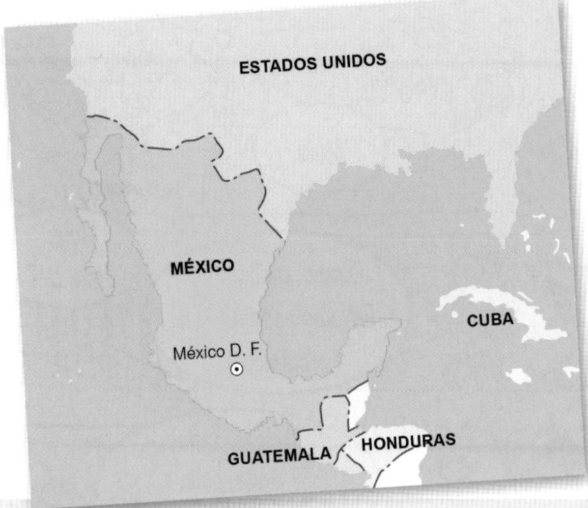

INTERACCIÓN ORAL

3. Habla con un compañero sobre es vuestro lugar favorito: dónde está, cómo es, qué hacéis normalmente allí y si vais a ir estas vacaciones.

EXPRESIÓN ESCRITA

4. Escribe una postal desde tus vacaciones imaginarias. Incluye dónde estás, cómo es, lo que has hecho y lo que vas a hacer en los próximos días.

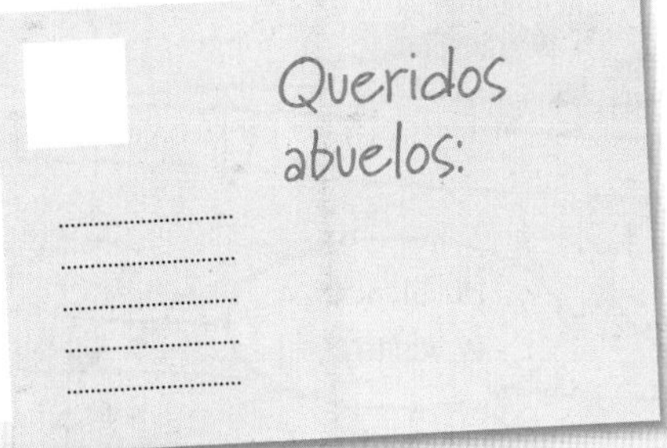

EXPRESIÓN ORAL

5. Graba una pequeña explicación para jóvenes hispanohablantes presentándoles las principales características y los lugares más interesantes de tu país o de tu región.

¿Sabes dónde está la calle Marina?
Perdona, ¿cómo dices? Es que no hablo muy bien español...
Perdone, ¿habla usted inglés?
Sí, un poco. “How can I help you?”
Mira: este es Álex, un amigo.
Hola.
Hola, ¿qué tal?
¿Hablas español?
Bueno, un poquito. Estudio español en el colegio.
¿De dónde sois?
Holandeses, ¿y vosotras?
Nosotras somos de aquí.
Helaaaaaados, agua, cola, zuuuuuuuuumos...

GRAMÁTICA Y COMUNICACIÓN

EL ABECEDARIO

A	**a**	**a**lem**á**n
B	**be**	**B**arcelona
C	**ce**	**c**asa, **c**ero
D	**de**	**d**ecir
E	**e**	**e**scribir
F	**efe**	**f**oto
G	**ge**	**g**ato, Ar**g**entina
H	**hache**	**h**ola
I	**i**	**I**nglaterra
J	**jota**	gara**j**e
K	**ka**	**k**ilómetro
L	**ele**	**L**atinoamérica
M	**eme**	**m**adre
N	**ene**	**n**ombre
Ñ	**eñe**	Espa**ñ**a
O	**o**	herman**o**
P	**pe**	**p**alabra
Q	**cu**	**q**uince
R	**erre**	p**r**ofeso**r**a, pe**rr**o
S	**ese**	famo**s**o
T	**te**	**t**ener
U	**u**	n**ú**mero
V	**uve**	**v**einte
W	**uve doble**	ki**w**i
X	**equis**	ta**x**i
Y	**i griega**	pla**y**a, **y**o
Z	**zeta**	pi**z**arra

En español los nombres de las letras son femeninos: **la** be, **la** equis, **la** ele.

LA PRONUNCIACIÓN

B - V

La **b** y la **v** se pronuncian igual: **b**urro, **v**ivir

C - QU

La **c** delante de	**a** **o** **u**	se pronuncia como	**c**asa **c**osa **C**uba
La **qu** delante de	**e** **i**	se pronuncia como	**qu**eso e**qu**is

C - Z

La **c** delante de	**e** **i**	se pronuncia como	on**c**e domi**c**ilio
La **z** delante de	**a** **o** **u**	se pronuncia como	pi**z**arra **z**oo **z**umo

G - J

La **g** delante de	**e** **i**	se pronuncia como	ar**g**entino ele**g**ir
La **j** delante de	**a** **o** **u**	se pronuncia como	**j**amón **j**oven **j**uego

También existen palabras con **j** delante de **e** o **i**: **j**efe, **j**irafa.

G - GU

La **g** delante de	**a** **o** **u**	se pronuncia como	ju**g**ar Bo**g**otá **g**ustar
La **g** delante de	**ue** **ui**	se pronuncia como	portu**gu**és **gu**itarra

H

La **h** no se pronuncia: **h**ola.

R

Entre vocales, la **r** se pronuncia con un sonido débil: cultu**r**a.

Se pronuncia con un sonido fuerte cuando va a principio de una palabra y cuando se escribe **rr**: **R**oma, pe**rr**o.

LA SÍLABA TÓNICA Y LOS ACENTOS

En español cada palabra tiene una sílaba tónica que puede ocupar diferentes lugares.

PALABRAS ESDRÚJULAS ... ■□□
Hay dos sílabas después de la tónica:
química, te**lé**fono

PALABRAS LLANAS ... ■□
Hay una sílaba después de la tónica:
casa, **le**tra

PALABRAS AGUDAS ... ■
La sílaba tónica es la última sílaba:
ha**blar**, pa**pá**

En español la mayoría de palabras son llanas.

Algunas palabras se escriben con tilde (acento gráfico) y otras no.

PALABRAS ESDRÚJULAS
Se escriben con tilde siempre: Mate**má**ticas, **Mé**xico, infor**má**tica.

PALABRAS LLANAS
Se escriben con tilde cuando no terminan en **vocal**, **n** o **s**: **ár**bol, ca**rác**ter, **lá**piz.

PALABRAS AGUDAS
Se escriben con tilde cuando terminan en **vocal**, **n** o **s**: ma**má**, mi**llón**, Pa**rís**.

LOS ARTÍCULOS

DETERMINADOS		INDETERMINADOS	
el bolígrafo	**la** camiseta	**un** bolígrafo	**una** camiseta
los helados	**las** tiendas	**unos** helados	**unas** tiendas

*¿Dónde está **la camiseta** blanca?*
*Me gustan **las camisetas** blancas.*
*Tengo **una camiseta** blanca.*
*En esta tienda hay **unas camisetas** muy bonitas.*
*Mira, en esta tienda hay **camisetas**.*

de + el = **del**
a + el = **al**

*Estoy en el comedor **del** colegio.*
*Voy **al** cine.*

LOS NOMBRES: GÉNERO

En español hay nombres masculinos y femeninos:

MASCULINOS	FEMENINOS
el chico	la chica
el colegio	la clase

El género y el número afectan a las palabras que acompañan al nombre: los artículos, los demostrativos y los adjetivos.

*Es **un** lugar bonit**o**.*
*Tiene **una** hij**a** muy guap**a**.*
***Estos** libro**s** son muy interesant**es**.*
***Estas** libreta**s** roj**as** son de Kike.*

Para saber el género de un nombre, podemos ver el artículo que lo acompaña o las terminaciones.

PALABRAS MASCULINAS
Generalmente son palabras masculinas las que terminan en **-o**, **-aje**, **-or**: ciel**o**, ole**aje**, comed**or**.

PALABRAS FEMENINAS
Generalmente son palabras femeninas las que terminan en **-a, -ción, -sión, -dad**: mes**a**, can**ción**, diver**sión**, solidari**dad**.

LOS NOMBRES: NÚMERO

Para formar el plural:

VOCAL + S
Si un nombre termina en vocal añadimos **-s**:
lengua - lengua**s**

CONSONANTE + ES

Si un nombre termina en consonante añadimos **-es**:
profesor - profesor**es**

LOS DEMOSTRATIVOS

Para identificar usamos los demostrativos. Para señalar objetos o personas que están próximos a la persona que habla usamos:

	MASCULINO	FEMENINO
SINGULAR	**este** coche	**esta** bicicleta
PLURAL	**estos** coches	**estas** bicicletas

Para señalar objetos o personas que están próximos a la persona que escucha usamos:

	MASCULINO	FEMENINO
SINGULAR	**ese** coche	**esa** bicicleta
PLURAL	**esos** coches	**esas** bicicleta

Este *ejercicio es un poco difícil.*
¿Te gusta ***esa****?*
Esos *son mis padres.*
¿Quiénes son ***estas*** *chicas?*

Cuando nos referimos a algo cuyo género no está determinado usamos **esto** o **eso**.

- *¿Qué es* ***esto****?*
- *¿****Esto****? Un regalo para ti.*

LOS POSESIVOS

Los posesivos concuerdan en género y en número con la cosa poseída, no con el poseedor.

SINGULAR	
mi gato	**mi** gata
tu hermano	**tu** hermana
su padre	**su** madre
nuestro hijo	**nuestra** hija
vuestro profesor	**vuestra** profesora
su abuelo	**su** abuela

PLURAL	
mis gatos	**mis** gatas
tus hermanos	**tus** hermanas
sus padres	**sus** madres
nuestros hijos	**nuestras** hijas
vuestros profesores	**vuestras** profesoras
sus abuelos	**sus** abuelas

¿Esta es ***tu*** *mochila?*
*¿****Vuestro*** *colegio es muy grande?*

su madre = de Fernando / de María / de usted

sus padres = de Fernando / de María / de ustedes

LOS POSESIVOS TÓNICOS SINGULAR

Para no repetir los nombres, usamos los posesivos tónicos.

	MASCULINO	FEMENINO
(yo)	**el mío**	**la mía**
(tú)	**el tuyo**	**la tuya**
(él / ella, usted)	**el suyo**	**la suya**

- *Mi hermana tiene nueve años.*
- *¡****La mía*** *también!*

LOS ADJETIVOS CALIFICATIVOS

Algunos adjetivos tienen cuatro formas.

american**o**	american**a**	american**os**	american**as**
roj**o**	roj**a**	roj**os**	roj**as**

Tienen la misma forma para el masculino y para el femenino los adjetivos acabados en **-e** o en consonante.

un gorro **verde** unos gorros **verdes**	una camiseta **verde** unas camisetas **verdes**
un chico **formal** unos chicos **formales**	una chica **formal** unas chicas **formales**

Los adjetivos terminados en consonante (como los nombres) tienen el plural acabado en **-es**.

gris	gris**es**
ágil	ágil**es**

Los adjetivos terminados en **-ista** también son iguales para el femenino y para el masculino.

un hombre optim**ista**	una mujer optim**ista**

Los femeninos de muchos adjetivos terminados en consonante se forman añadiendo una **-a** al masculino.

francés	frances**a**
alemán	leman**a**

LOS GRADOS DE LOS ADJETIVOS

No soy **nada** responsable.
Soy **un poco** irresponsable.
Soy **bastante** responsable.
Soy **muy** responsable.
Soy **demasiado** responsable.

Un poco solo se usa con adjetivos negativos.

LOS SUPERLATIVOS

*Belice es **el** país **más** pequeño **de** América.*
*El Everest es **la** montaña **más** alta **del** mundo.*

Algunos adjetivos tienen una forma especial para el superlativo:
grande → **mayor**
pequeño → **menor**

NACHO ES EL MENOR.
ANDRÉS ES EL MAYOR.

LOS PRONOMBRES PERSONALES

PRONOMBRES SUJETO

Los pronombres sujeto son:

yo		
tú		**usted**
él	**ella**	
nosotros	**nosotras**	
vosotros	**vosotras**	**ustedes**
ellos	**ellas**	

En español, la marca de la persona está en el verbo. Por eso, muchas veces no es necesario el pronombre sujeto.

*Habl**o** español e italiano.* (**-o** = yo)
*Estudi**an** español.* (**-an** = ellos, ellas o ustedes)

Pero en algunos casos los pronombres son necesarios, por ejemplo, cuando hay un contraste de diferentes informaciones sobre diferentes sujetos.

● ***Yo** soy italiana. ¿Y **tú**?*
○ ***Yo**, rumano.*

***Yo** me llamo Laura y **ella**, Emilia.*

O cuando preguntamos por alguien:

● *¿El señor González, por favor?*
○ *Soy **yo**.*

TÚ / USTED

Para tratar con formalidad al interlocutor usamos **usted** / **ustedes**, que se combinan con los verbos en tercera persona.

Si eres una persona joven, lo normal es utilizar **usted** o **ustedes** con todos los adultos desconocidos. En el colegio, los chicos españoles suelen utilizar **tú** o **vosotros** al dirigirse a los profesores.

En la mayoría de países latinoamericanos no se usa **vosotros**. Sólo se usa **ustedes**.

PRONOMBRES CON PREPOSICIÓN

Con las preposiciones (**para**, **de**, **a**, **sin**...) se usan los siguientes pronombres.

para	**mí** **ti** / **usted** **él** / **ella** **nosotros** / **nosotras** **vosotros** / **vosotras** / **ustedes** **ellos** / **ellas**

*¿Este paquete es **para mí** o **para ti**?*

Un caso especial es la preposición **con**.

conmigo
contigo / con usted
con él / ella
con nosotros / nosotras
con vosotros / vosotras / ustedes
con ellos / ellas

*¿Vienes al cine **conmigo**?*
*Me gusta estar **contigo**.*
*Normalmente juego al tenis **con ella**.*

PRONOMBRES DE COMPLEMENTO DIRECTO

El CD (complemento directo) es la cosa o la persona que recibe la acción del verbo. Como en muchas lenguas, cuando ya sabemos a qué sustantivo nos referimos o queda claro por el contexto, este se sustituye por un pronombre.

me	
te	
lo	**la**
nos	
os	
los	**las**

● *¿Y el chocolate?*
○ ***Lo** he puesto en la mochila.*

Cuando el tema principal de la frase es el CD, lo ponemos al principio y añadimos el pronombre correspondiente.

*El chocolate **lo** he puesto en la mochila.*

VERBOS CON PRONOMBRES

Algunos verbos, los llamados reflexivos, van siempre con pronombres, por ejemplo **llamarse**, **quedarse**.

me	llamo	quedo
te	llamas	quedas
se	llama	queda
nos	llamamos	quedamos
os	llamáis	quedáis
se	llaman	quedan

*¿**Te** quedas en casa o vienes?*
*Mi profesor **se** llama Carlos García.*

Bastantes verbos, como **gustar, encantar, interesar** o **doler**, se combinan siempre con pronombres.

me	
te	
le	gusta / encanta / interesa el cine
nos	gustan / encantan / gustan los comics.
os	
le	

*¿**Te** gusta jugar al ajedrez?*
*¿A tu hermana **le** interesa el cine?*

LA EXISTENCIA CON HAY

SINGULAR

*En nuestro cole **hay** ø comedor.*
*En nuestro cole **no hay** ø comedor.*
*En nuestro cole **hay** un huerto.*
~~*En nuestro cole **hay** el huerto.*~~

PLURAL

*En nuestro cole **hay** diez aulas.*
*En nuestro cole **no hay** muchos alumnos.*
*En nuestro cole **hay** ø alumnos de muchos países.*
~~*En nuestro cole **hay** los alumnos de muchos países.*~~

LAS PREPOSICIONES

A

ir a Sevilla / México /...
a las tres de la tarde

a + el = **al**

*Voy **al** campo.*
*Voy **a la** playa.*

CON

ir / estar / vivir /... **con** David

DE

venir **de** Roma
la mochila **de** Roberto
una bolsa **de** plástico
las diez **de** la mañana

de + el = **del**

*Vengo **del** comedor.*
*Vengo **de la** playa.*

EN

en verano / Navidad /...
ir **en** coche / tren / avión /...
quedarse **en** casa / la ciudad /...
estar **en** casa / Alemania /...

ESTE VERANO NOS QUEDAMOS EN CASA.

PARA
un libro **para** Pamela

POR
viajar **por** España
pasar **por** Madrid

LOS NUMERALES

1	**uno/a**	16	**dieciséis**
2	**dos**	17	**diecisiete**
3	**tres**	18	**dieciocho**
4	**cuatro**	19	**diecinueve**
5	**cinco**	20	**veinte**
6	**seis**	21	**veintiuno/a**
7	**siete**	22	**veintidós**
8	**ocho**	23	**veintitrés**
9	**nueve**	24	**veinticuatro**
10	**diez**	25	**veinticinco**
11	**once**	26	**veintiséis**
12	**doce**	27	**veintisiete**
13	**trece**	28	**veintiocho**
14	**catorce**	29	**veintinueve**
15	**quince**		
30	**treinta**	31	**treinta y uno/a**
40	**cuarenta**	42	**cuarenta y dos**
50	**cincuenta**	53	**cincuenta y tres**
60	**sesenta**	64	**sesenta y cuatro**
70	**setenta**	75	**setenta y cinco**
80	**ochenta**	86	**ochenta y seis**
90	**noventa**	97	**noventa y siete**
100	**cien**		
200	**doscientos/as**		
300	**trescientos/as**		
400	**cuatrocientos/as**		
500	**quinientos/as**		
600	**seiscientos/as**		
700	**setecientos/as**		
800	**ochocientos/as**		
900	**novecientos/as**		
101	**ciento** un/uno/una		
102	**ciento** dos		
110	**ciento** diez		
120	**ciento** veinte		

1000	**mil**
2000	dos **mil**
10 000	diez **mil**
100 000	cien **mil**
200 000	doscientos/as **mil**
1 000 000	un **millón**
10 000 000	diez **millones**

15 714 359	quince **millones** setecientos catorce **mil** trescientos cincuenta **y** nueve

LOS CUANTIFICADORES

Hago	**un poco de** **bastante** **mucho** **demasiado**	deporte.

MI HERMANO HACE MUCHO DEPORTE

Bastante, **mucho** y **demasiado** concuerdan en género y número cuando van con un sustantivo.

much**o** demasiad**o**	ruido	much**os** demasiad**os**	estudiantes
much**a** demasiad**a**	gente	much**as** demasiad**as**	mesas

Nada, **bastante**, **mucho**, **muy** y **demasiado** son invariables cuando van con un adjetivo o un verbo.

CON VERBO
*Ana **no** estudia **nada**.*
*Ana estudia **bastante**.*
*Ana estudia **mucho**.*
*Ana estudia **demasiado**.*

CON ADJETIVO
No *son* ***nada*** *inteligentes.*
Son ***bastante*** *inteligentes.*
Son ***muy*** *inteligentes.*
Son ***demasiado*** *inteligentes.*

Cuando queremos expresar una cantidad aproximada:

Unos *cinco euros.*
Unas *tres horas al día.*
Tres horas, ***aproximadamente****.*
Dos ***o*** *tres horas.*

LOS MARCADORES TEMPORALES

ayer / hoy / mañana / pasado mañana

PARA REFERIRNOS AL FUTURO
Este verano / otoño /...
Estas vacaciones / Navidades /...
El lunes / domingo /...
El día 10 / 14 /...
En agosto / Pascua /...

Este lunes *voy a Madrid.*

PARA REFERIRNOS A ACCIONES HABITUALES
Los lunes / martes / miércoles /...
En Navidad / verano /...

Los viernes *voy a la piscina.*

PARA HABLAR DE LA FRECUENCIA
siempre / normalmente

una vez al día / al mes / al año / a la semana
dos veces al día / al mes / al año / a la semana

muchas veces / a veces / nunca

Voy de vacaciones al pueblo de mis abuelos ***dos veces al año****.*
Siempre *voy al cine con mis padres.*

LA IMPERSONALIDAD CON SE

En México ***se*** *habla español.*
En Latinoamérica ***se*** *come mucha fruta.*
En Colombia ***se*** *produce mucho café.*
En España ***se*** *hablan cuatro lenguas.*

LAS INTERROGATIVAS

● *¿**Quién** es este chico de la foto?*
○ *Javi, mi hermano pequeño.*

● *¿**Dónde** está Uruguay?*
○ *Al norte de Argentina.*

● *¿**Adónde** vas a ir el domingo?*
○ *A casa de mis abuelos.*

● *¿**De dónde** es Bernard?*
○ *De París.*

● *¿**Con quién** están hoy los niños?*
○ *Con María José.*

● *¿**Cómo** vas a ir a Grecia? ¿En avión?*
○ *No, en barco.*

● *¿**Cuándo** tienes vacaciones?*
○ *En agosto. ¿Y tú?*

● *¿**Cuánto** cuesta este jersey?*
○ *30 euros.*

● *¿**Cuánta** pasta has comprado?*
○ *Dos kilos.*

● *¿**Cuántos** años tiene Lara?*
○ *Catorce.*

● *¿**Cuántas** galletas quieres?*
○ *Solo una.*

● *¿**Por qué** no vas al colegio?*
○ *Porque estoy enfermo.*

● *¿**Qué** te gusta hacer los domingos?*
○ *Ir al cine.*

● *¿**Cuál** te gusta más? ¿Este o este?*
○ *El azul.*

● *¿**Cuáles** te gustan? ¿Los rojos o los grises?*
○ *Los rojos.*

LAS EXCLAMATIVAS

● *Mira, esta cascada es el Salto del Ángel.*
❍ ***¡Qué** alta! ¡Es increíble!*

● *A veces voy con monopatín al colegio.*
❍ ***¡Qué** divertido! Quiero probarlo. ¿Vamos un día juntos?*

LAS CONJUNCIONES Y, PERO, NI… NI…

PARA UNIR ELEMENTOS O FRASES

*Hago karate **y** surf.*
*Víctor es español **y** Pamela es mexicana.*

PARA UNIR DOS COSAS NEGADAS QUE SE CONTRADICEN

*No soy **ni** alta **ni** baja; soy normal.*

PARA UNIR DOS COSAS QUE SE CONTRADICEN

*Quiero ir al cine **pero** tengo muchos deberes.*

SÍ / NO, TAMBIÉN / TAMPOCO

sí → **también**
no → **tampoco**

*Laura habla inglés **y también** un poco de francés.*
*Yo **no** hablo inglés **y tampoco** italiano.*

● *Yo hablo inglés.*
❍ *Yo **también**.*
■ *Yo **no**.*

● *Yo **no** hablo italiano.*
❍ *Yo **tampoco**.*
■ *Yo **sí**.*

● *A mí me gusta mucho ir de compras.*
❍ ***A mí también.***
■ ***A mí no** (me gusta).*

● *A mí no me gustan los gatos.*
❍ *Pues **a mí sí** (me gustan).*
■ ***A mí también** me gustan.*

LAS FRASES DE RELATIVO

Es un país. + Tiene muchas montañas.

↓

*Es un país **que** tiene muchas montañas.*

*Es un país **en el que** se habla francés.*
*Es un país **donde** se habla francés.*

*Es una región **en la que** se cultiva café.*
*Es una región **donde** se cultiva café.*

LOS VERBOS

En español hay tres tipos de verbos, es decir, tres conjugaciones.

INFINITIVO EN -AR	INFINITIVO EN -ER	INFINITIVO EN -IR
estudi**ar**	beb**er**	escrib**ir**
trabaj**ar**	l**eer**	viv**ir**
orden**ar**	corr**er**	traduc**ir**

Para hablar de acciones actuales o habituales usamos el presente.

***Vivo** en Alemania.*
*Los lunes **voy** a la piscina.*

Para hablar del futuro podemos usar varias formas:

IR A + INFINITIVO

*Este verano **voy a viajar** por Alemania.*
*Mañana **voy a salir** con Laura.*

EL PRESENTE

*Mañana **voy** a París.*
*Este verano **me quedo** en casa.*

EL PRETÉRITO PERFECTO

El pretérito perfecto es un tiempo que sirve para hablar del pasado de distintas maneras. Una de ellas es referirse a una acción pasada sin hablar de cuándo ha tenido lugar.

***He estado** muchas veces en España.*
*¿Alguno de vosotros **ha hecho** rafting?*

HABER + PARTICIPIO

(yo)	**he**	bailado
(tú)	**has**	
(él, ella, usted)	**ha**	
(nosotros, nosotras)	**hemos**	
(vosotros, vosotras)	**habéis**	
(ellos, ellas, ustedes)	**han**	

El participio se forma de la siguiente manera.

VERBOS EN **-AR**	VERBOS EN **-ER** / **-IR**	
→ -ADO	→ -IDO	
estudiar	leer	salir
estudi**ado**	le**ído**	sal**ido**

Hay algunos participios irregulares.

abrir	**abierto**
hacer	**hecho**
decir	**dicho**
poner	**puesto**
escribir	**escrito**
ver	**visto**
volver	**vuelto**

El participio es invariable, no tiene género ni número y no se puede colocar nada entre el verbo auxiliar y el participio.

~~*No he hoy desayunado.*~~

LOS VERBOS REGULARES

1ª CONJUGACIÓN: -AR

PRESENTE	
(yo)	orden**o**
(tú)	orden**as**
(él, ella, usted)	orden**a**
(nosotros, nosotras)	orden**amos**
(vosotros, vosotras)	orden**áis**
(ellos, ellas, ustedes)	orden**an**

PRETÉRITO PERFECTO		
(yo)	he	orden**ado**
(tú)	has	orden**ado**
(él, ella, usted)	ha	orden**ado**
(nosotros, nosotras)	hemos	orden**ado**
(vosotros, vosotras)	habéis	orden**ado**
(ellos, ellas, ustedes)	han	orden**ado**

Otros verbos en -ar:
anotar, ayudar, bailar, buscar, celebrar, chatear, comparar, comprar, completar, contestar, copiar, deletrear, dibujar, escuchar, estudiar, expresar, grabar, hablar, llegar, mejorar, mirar, necesitar, practicar, preparar, pronunciar, regalar, trabajar, visitar.

2ª CONJUGACIÓN: -ER

PRESENTE	
(yo)	beb**o**
(tú)	beb**es**
(él, ella, usted)	beb**e**
(nosotros, nosotras)	beb**emos**
(vosotros, vosotras)	beb**éis**
(ellos, ellas, ustedes)	beb**en**

PRETÉRITO PERFECTO		
(yo)	he	beb**ido**
(tú)	has	beb**ido**
(él, ella, usted)	ha	beb**ido**
(nosotros, nosotras)	hemos	beb**ido**
(vosotros, vosotras)	habéis	beb**ido**
(ellos, ellas, ustedes)	han	beb**ido**

Otros verbos en -er:
creer, comer, comprender, corresponder, leer.

3ª CONJUGACIÓN: -IR

PRESENTE	
(yo)	viv**o**
(tú)	viv**es**
(él, ella, usted)	viv**e**
(nosotros, nosotras)	viv**imos**
(vosotros, vosotras)	viv**ís**
(ellos, ellas, ustedes)	viv**en**

PRETÉRITO PERFECTO		
(yo)	he	viv**ido**
(tú)	has	viv**ido**
(él, ella, usted)	ha	viv**ido**
(nosotros, nosotras)	hemos	viv**ido**
(vosotros, vosotras)	habéis	viv**ido**
(ellos, ellas, ustedes)	han	viv**ido**

Otros verbos en -ir:
añadir, decidir, descubrir, discutir, escribir, recibir, vivir.

LOS VERBOS IRREGULARES

INFINITIVO	PRESENTE	PARTICIPIO
conocer	conozco conoces conoce conocemos conocéis conocen	conocido
dar	doy das da damos dais dan	dado
decir	digo dices dice decimos decís dicen	dicho
dormir	duermo duermes duerme dormimos dormís duermen	dormido
estar	estoy estás está estamos estáis están	estado
hacer	hago haces hace hacemos hacéis hacen	hecho
ir	voy vas va vamos vais van	ido

INFINITIVO	PRESENTE	PARTICIPIO
jugar	juego juegas juega jugamos jugáis juegan	jugado
oír	oigo oyes oye oímos oís oyen	oído
pensar	pienso piensas piensa pensamos pensáis piensan	pensado
preferir	prefiero prefieres prefiere preferimos preferís prefieren	preferido
poder	puedo puedes puede podemos podéis pueden	podido
poner	pongo pones pone ponemos ponéis ponen	puesto
querer	quiero quieres quiere queremos queréis quieren	querido

INFINITIVO	PRESENTE	PARTICIPIO
saber	sé sabes sabe sabemos sabéis saben	sabido
salir	salgo sales sale salimos salís salen	salido
ser	soy eres es somos sois son	sido
tener	tengo tienes tiene tenemos tenéis tienen	tenido
traer	traigo traes trae traemos traéis traen	traído
venir	vengo vienes viene venimos venís vienen	venido
ver	veo ves ve vemos veis ven	visto

SALUDAR Y DESPEDIRSE

¡Hola!
¿Qué tal?
Buenos días.
Buenas tardes.
Buenas noches.

¡Adiós!
¡Buen fin de semana!
Hasta luego.
Hasta mañana.
Hasta el viernes.

CHAO, ¡HASTA MAÑANA!
¡HASTA MAÑANA!

CONTROL DE LA COMUNICACIÓN

*¿**Cómo se escribe** tu apellido?*
*¿**Se escribe con** uve / acento / hache /...?*
*¿**Cómo se escribe** "zapato"?*
*¿"Nariz" **lleva acento**?*
*¿**Cómo se dice** "goodbye" **en español**?*
*¿**Cómo se llama esto en español**?*
*¿**Qué significa** "cuaderno"?*
*¿**En qué página estamos**?*
*¿**En qué ejercicio estamos**?*
*¿**Cómo dices**?*
*¿**Puedes hablar más alto, por favor**?*
*¿**Puedes volverlo a explicar**?*
*¿**Puedes hablar más despacio, por favor**?*
*¿**Puedes escribirlo en la pizarra**?*

LA INFORMACIÓN PERSONAL

NOMBRE: Pedro
APELLIDOS: Martínez Arroyo
LUGAR DE NACIMIENTO: Ronda (Málaga)
FECHA: 14-6-1993
DOMICILIO: C/ Zurbano, 14, 28010 Madrid

● ***¿Cómo te llamas?***
○ ***(Me llamo)*** *Pedro.*

● ***¿Cómo te apellidas?***
○ *Martínez Arroyo.*

● ***¿De dónde eres?***
○ *Español, **de** Málaga.*

● ***¿Dónde vives?***
○ ***En*** *Bilbao.*

● ***¿Cuántos años tienes?***
○ ***(Tengo)*** *doce.*

● ***¿Cuándo es tu cumpleaños?***
○ ***El*** *5* ***de*** *agosto.*

IDENTIFICAR A PERSONAS

● *¿**Quién es** Enrique?*
○ ***Es*** *un amigo. /* ***Es*** *el novio de mi hermana.*

● *¿**Quiénes son**?*
○ ***Son*** *unos amigos. /* ***Son*** *mis padres.*

● *¿**Eres** Jaime?*
○ *No, yo me llamo Ernesto.*

● *¿**Es usted** el señor Vázquez?*
○ ***Sí, soy yo.***

EL TELÉFONO Y EL CORREO ELECTRÓNICO

● ***¿Cuál es tu número de teléfono?***
○ ***(Es el)*** *4859584.*

● ***¿Tienes móvil?***
○ ***Sí, es el*** *678843671.*

● ***¿Tienes correo electrónico?***
○ *Sí.*

● ***¿Cuál es tu dirección de correo electrónico?***
○ *alicia@hotline.es*

@ se dice **arroba**.

HABLAR DEL ASPECTO FÍSICO

¿Cómo es?

Tiene *el pelo muy largo.*
Tiene *el pelo rubio.*
Tiene *el pelo rizado.*
Tiene *los ojos marrones.*
Tiene *los ojos muy bonitos.*

Es *rubio/a.*
Es *bastante alto/a y moreno/a.*

Es *alto/a.*
Es *bajito/a.*
Es *delgado/a.*
Es *gordito/a.*

Lleva | *gafas.*
| *bigote.*

Es muy *guapo/a.*
Es bastante *guapo/a.*
No es muy *guapo/a.*
Es un poco *feo/a.*

No es ni *alto/a* **ni** *bajo/a.*

El verbo **estar** expresa un estado pasajero.

Juani ***está*** *guapa hoy.*
Roberto ***está*** *muy moreno.*

HABLAR DEL CARÁCTER

Soy *muy responsable y muy ordenado.*
Laura ***es*** *un poco despistada.*
Tus padres ***son*** *muy simpáticos.*

LA HORA Y LAS PARTES DEL DÍA

● ***¿Qué hora es?***
○ **Es la** *una.* / **Son las** *dos.*

Son las *dos* **y cuarto.**
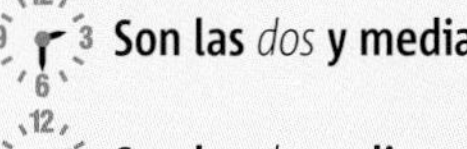
Son las *dos* **y media.**
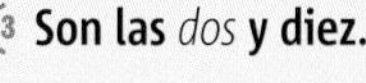
Son las *dos* **y diez.**
Son las *dos* **menos cuarto.**
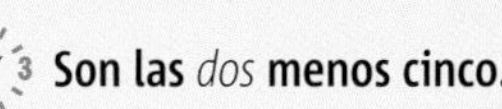
Son las *dos* **menos cinco.**

● ***¿A qué hora*** *tienes la clase?*
○ **A las** *once.* / **A la** *una.*

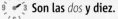

LOS DÍAS DE LA SEMANA

lunes
martes
miércoles
jueves
viernes
sábado
domingo

● *Hoy* ***es lunes,*** *¿verdad?*
○ *No, hoy* ***es martes.***

● *Mañana,* ***¿qué día es?***
○ ***Miércoles.***

● *¿Qué haces los* ***domingos****?*
○ *Juego al tenis.*

Los días de la semana son masculinos.
● *¿Cuándo es la fiesta?*
○ ***El*** *sábado.*

MESES, ESTACIONES Y ÉPOCAS DEL AÑO

enero	**abril**	**julio**	**octubre**
febrero	**mayo**	**agosto**	**noviembre**
marzo	**junio**	**septiembre**	**diciembre**

primavera	**verano**	**otoño**	**invierno**

En *junio empiezan las vacaciones.*
En *verano hace mucho calor y a veces llueve.*
En *Semana Santa vamos normalmente a la playa.*

RECURSOS PARA LA COMUNICACIÓN

LAS FECHAS

*Mi cumpleaños es **el** 12 **de** mayo.*

● *¿**Qué día es** el partido?*
❍ *(**Es**) **El** 25 **de** noviembre.*

● *¿**Cuándo es** el día de Reyes?*
❍ *(**Es**) **El** 6 **de** enero.*

LAS PARTES DEL DÍA

***Por la mañana** voy a clase.*
***Al mediodía** como en el colegio.*
***Por la tarde** me quedo en casa para estudiar.*
***Por la noche** leo un rato antes de dormir.*

HABLAR DE GUSTOS Y PREFERENCIAS

***Me interesa mucho** la historia.*
***Me gusta mucho** la informática.*

***No me interesa** el deporte.*
***No me gusta** el fútbol.*

***No me interesa nada** este libro.*
***No me gusta nada** este coche.*

● *¿**Te gusta** el tenis?*
*¿**Te gustan** estos pantalones?*
*¿**Os interesa** la informática?*
*¿**Os interesan** los videojuegos?*

❍ ***Sí, mucho.***
No, no mucho.
No, nada.

● *¿**Os interesa** la informática?*
❍ ***A mí sí.***
■ ***A mí también.***

● *¿**Os gusta** el fútbol?*
❍ ***A mí no.***
■ ***A mí tampoco.***

***Mi** asignatura **favorita es** el inglés.*
***Mi** deporte **favorito es** el baloncesto.*

*No me gusta el campo; **prefiero** la playa.*

● *¿Tú cuál **prefieres**? ¿Este o este?*
❍ ***Este**.*

PARA PAGAR

● ***¿Cuánto es?***
❍ *13 euros.*
● ***Aquí tiene.***

PREGUNTAR EL PRECIO

● *¿**Cuánto cuesta** esta camiseta?*
❍ *25 euros.*

● *¿**Cuánto cuestan** estos pantalones?*
❍ *35 euros.*

SITUAR LUGARES

*España **está al norte de** Marruecos.*
*España **está al sur de** Francia.*
*España **está al este de** Portugal.*
*España **está al oeste de** Italia.*

*Suecia **está en el norte de** Europa.*
*España **está en el sur de** Europa.*

Para hablar de la situación de un lugar geográfico se utiliza el verbo **estar**.

DESCRIBIR PAÍSES

*Nicaragua **tiene** cinco millones **de habitantes**.*
***Tiene** 140 000 km^2.*
***Tiene** un clima tropical / continental / mediterráneo.*
*España **tiene** montañas muy altas.*

HABLAR DEL TIEMPO Y DEL CLIMA

*En verano, en España **hace bastante calor**.*
*Aquí hoy **hace muy buen tiempo**.*
*En mi país en invierno **hace mal tiempo**.*
*En el norte de España **llueve mucho**, ¿verdad?*
***Hace mucho frío**, ¿no?*
*No vamos a esquiar. **Hace viento**.*
*En los Pirineos **nieva**.*

MI VOCABULARIO

MI VOCABULARIO ESENCIAL

En este glosario encontrarás las palabras más importantes de **Gente joven Nueva edición 1** traducidas al inglés, al francés y al portugués según el contexto en el que se encuentran en el libro.

En la primera parte encontrarás las palabras ordenadas por unidades y, a continuación, ***Mi vocabulario A-Z***, con las mismas palabras ordenadas alfabéticamente. Finalmente, encontrarás un pequeño ***Glosario de términos gramaticales***.

Todos los nombres van acompañados por el artículo determinado (masculino y/o femenino) y por la forma femenina, si la tienen. Los nombres que se usan en plural llevan el artículo plural.

Los verbos de las primeras tres unidades (previas a haber abordado el presente de indicativo), se presentan con su forma conjugada y el infinitivo entre paréntesis. Las formas verbales que no se han estudiado todavía aparecen indicadas entre paréntesis.

Las irregularidades de los verbos en presente de indicativo se indican con el cambio ortográfico entre paréntesis *(g)*, *(i)*, *(ie)*, *(ue)*, *(y)*, *(zc)* o bien con un asterisco *(*)*, en el caso de tener distintos tipos de irregularidad.

Abreviaturas:

adj.	*adjetivo*
adv.	*adverbio*
conj.	*conjunción*
f.	*femenino*
inf.	*infinitivo*
imp.	*imperativo*
interj.	*interjección*
part.	*participio*

	ENGLISH	FRANÇAIS	PORTUGUÊS

0. ¿VAMOS?

Imágenes del español

la imagen	image	image	imagem
el español	Spanish	espagnol	espanhol

VAMOS A ESCUCHAR

escuchar	to listen	écouter	escutar

1. ¿Es español?

es *(inf.:* **ser***)*	is it	il / elle est	é
persona	person	personne	pessoa

2. ¿Dónde están?

dónde	where	où	onde

VAMOS A MEMORIZAR

memorizar	to memorize	mémoriser	memorizar

3. La canción del 0 al 10

la canción	song	chanson	canção

4. Vocabulario

el dibujo	drawing	dessin	desenho
escribir	to write	écrire	escrever
el nombre	name / first name	prénom	nome

	ENGLISH	FRANÇAIS	PORTUGUÊS
repetir *(i)*	to repeat	répéter	repetir
el libro	book	livre	livro
el estuche	pencil case	trousse	estojo
la goma	rubber / eraser	gomme	borracha
el bloc de anillas	ring binder	classeur	caderno de argolas
la libreta	notebook	carnet	bloco de notas
el lápiz	pencil	crayon	lápis
la silla	chair	chaise	cadeira
la mesa	table	table	mesa
el bolígrafo	pen	stylo	caneta
la mochila	bag	sac à dos	mochila

VAMOS A HABLAR

hablar	to speak	parler	falar

7. Me gusta hablar

no lo entiendo	I don't understand	je ne comprends pas	não entendo
¿puedes repetírmelo?	could you repeat that?	vous pouvez répéter s'il vous plaît ? / tu peux répéter s'il te plaît ?	pode repetir?
más despacio	slowly	plus lentement	mais devagar
buenos días	good morning	bonjour	bom dia
¿cómo estás?	how are you?	comment vas-tu ?	como está?
muy bien	very well	très bien	muito bem
gracias	thank you	merci	obrigado/a
usted	you (singular, formal)	vous	você
adiós	goodbye	au revoir	adeus
hasta mañana	see you tomorrow	à demain	até amanhã
hasta luego	see you later	à plus tard	até logo
no lo sé	I don't know	je ne sais pas	não sei

VAMOS A LEER

leer	to read	lire	ler

8. ¡Puedo leer en español!

la información	information	information	informação
la palabra	word	mot	palavra
comprender	to understand	comprendre	entender
el significado	meaning	sens	significado

CÓMIC

el ejercicio	exercise	exercice	exercício
la página	page	page	página
cómo se llama	how do you say this	comment ça se dit	como se chama
puedes *(inf.:* **poder** *(ue))*	you can	tu peux	pode
hablar más despacio	to speak more slowly	parler plus lentement	falar mais devagar
por favor	please	s'il vous plaît	por favor
¿qué significa?	what does that mean?	qu'est-ce que cela veut dire ?	o que significa?
el cuaderno	exercise book	cahier	caderno
¿cómo se escribe?	how do you write...?	comment cela s'écrit ?	como se escreve?
se deletrea *(inf.:* **deletrear***)*	it is spelt	s'épèle	soletra-se
el apellido	surname	nom (de famille)	sobrenome
la pizarra	blackboard	tableau	quadro
lleva acento	it has an accent mark	a un accent	tem acento
hablar más alto	to speak louder	parler plus fort	falar mais alto
ir al servicio	to go to the toilet	aller aux toilettes	ir ao banheiro

MI VOCABULARIO ESENCIAL

	ENGLISH	FRANÇAIS	PORTUGUÊS
1. TÚ Y YO			
¿Sí o no?			
tiene *(inf.:* **tener** *(ie))*	he / she / it have	il / elle / on a	tem
el perro	dog	chien	cão
vive *(inf.:* **vivir***)*	he / she / it lives	il / elle /on habite	vive
el teléfono	telephone	téléphone	telefone
la madre	mother	mère	mãe
el cumpleaños	birthday	anniversaire	aniversário
la mascota	pet	animal de compagnie	mascote
la foto	photo	photo	foto
la casa	house	maison	casa
el móvil	mobile phone	téléphone portable	celular
"HOLA" SE ESCRIBE CON HACHE			
hola	hello	salut	olá
1. El primer día de clase			
la clase (actividad)	class	cours	aula
el grupo	group	groupe	grupo
el / la profesor/a	teacher	professeur	professor/-a
la fecha	date	date	data
el / la chico/-a	boy / girl	garçon / fille	garoto/-a
¿SABES QUE...?			
el padre	father	père	pai
MINIPROYECTO			
el / la amigo/-a	friend	ami/-e	amigo/-a
¿CÓMO TE LLAMAS?			
¿cómo te llamas?	what's your name?	comment tu t'appelles ?	qual é o seu nome?
4. ¿Quién es quién?			
quién	who	qui	quem
alemán/-a	German	Allemand/e	alemão / alemã
portugués/-a	Portuguese	portugais/e	português/a
francés/-a	French	Français/e	francês / francesa
inglés/-a	English	Anglais/e	inglês / inglesa
español/-a	Spanish	Espagnol/e	espanhol/a
5. ¿En cuántos países se habla español?			
cuánto/-a	how many	combien	quanto/-a
el país	country	pays	país
¿de dónde es?	where is he / she from?	d'où est-il / elle ?	de onde você é?
¿cuántos años tiene?	how old is he / she ?	quel âge a-t-il / elle ?	quantos anos tem?
el / la hermano/-a	brother / sister	frère / sœur	irmão / irmã
6. ¡Hola, soy Tina!			
el gato	cat	chat	gato
¿qué tal?	how are you doing?	comment ça va ?	como vai?
porque	because	parce que	porque
la nacionalidad	nationality	nationalité	nacionalidade
el idioma	language	langue	língua (idioma)
DATOS PERSONALES			
los datos personales	personal details	renseignements personnels	dados pessoais
el lugar de nacimiento	birth place	lieu de naissance	local de nascimento
la fecha de nacimiento	birth date	date de naissance	data de nascimento
el domicilio	home address	adresse	endereço

	ENGLISH	FRANÇAIS	PORTUGUÊS
el correo electrónico	e-mail address	courrier électronique	correio eletrônico
INFORMACIÓN PERSONAL			
la arroba	at sign	arobase	arroba

REGLAS, PALABRAS Y SONIDOS

LOS PRONOMBRES PERSONALES			
yo	I	je	eu
tú	you (singular, informal)	tu	você
él / ella	he / she / it	il / elle	ele / ela
nosotros/-as	we	nous	nós
vosotros/-as	you (plural, informal)	vous	vocês
ellos/-as	they	ils / elles	eles / elas

LA REVISTA

CANCIÓN

lo siento	I'm sorry	je suis désolé/-e	sinto muito

LA PEÑA DEL GARAJE

la peña	gang / crew	bande	galera
la familia	family	famille	família
la edad	age	âge	idade
el garaje	garage	garage	garagem
la suerte	luck	chance	sorte
el pez	fish	poisson	peixe

2. MI COLEGIO

Todos van al cole

el cole *(fam.)*	school	école	escola
el uniforme	uniform	uniforme	uniforme
el patio	playground	cour	pátio
la escuela	school	école	escola

EN MI COLEGIO HAY BIBLIOTECA

la biblioteca	library	bibliothèque	biblioteca

1. Un colegio del futuro

el comedor	dining hall / canteen	cantine	sala de jantar
el transporte escolar	school transport	transport scolaire	transporte escolar
el gimnasio	gym	gymnase	ginásio
el laboratorio	laboratory	laboratoire	laboratório
la enfermería	sick bay	infirmerie	enfermaria
el campo de fútbol	football pitch	terrain de football	campo de futebol
la piscina	swimming pool	piscine	piscina
la clase de música	music class	cours de musique	aula de música
la pista de tenis	tennis court	court de tennis	quadra de ténis
el ordenador	computer	ordinateur	computador

2. Un colegio diferente

estudian	they study	ils / elles étudient	estudam
la asignatura	subject	matière	matéria (de uma disciplina)
viajan *(inf.:* viajar*)*	they travel	ils/ elles voyagent	viajam
el pueblo	town / village	village	povoação
trabajan *(inf.:* trabajar*)*	they work	ils / elles travaillent	trabalham
LAS PARTES DEL DÍA			
la mañana	morning	matin	manhã
el mediodía	noon	midi	meio-dia
la tarde	afternoon / evening	après-midi / soir	tarde

	ENGLISH	FRANÇAIS	PORTUGUÊS
la noche	night	nuit	noite
HAY			
hay	there is / are	il y a	tem
el aula	classroom	salle de classe	a aula
TAMBIÉN / TAMPOCO (II)			
también	also / too	aussi	também
tampoco	not... either / neither / nor	non plus	tampouco (também não)

ME GUSTAN LAS MATEMÁTICAS

me gusta/-n	I like	j'aime	gosto
las Matemáticas	Mathematics	Mathématiques	Matemática
3. Mi asignatura favorita			
favorito/-a	favourite	favori/te	favorito/-a
las Ciencias Sociales	Social Sciences	Histoire-Géographie	Ciências Sociais
las Ciencias Naturales	Natural Sciences	Sciences Naturelles	Ciências Naturais
la Expresión Plástica	Plastic Arts	Arts Plastiques	Expressão Plástica
la Educación Física	Physical Education	Éducation Physique et Sportive	Educação Física
el Francés	French	Français	francês
el Inglés	English	Anglais	inglês
la Lengua y Literatura Españolas	Spanish Language and Literature	Langue et Littérature Espagnoles	Língua e Literatura Espanholas
la Informática	Computing	Informatique	Informática
la Música	Music	Musique	Música
4. ¡Me gusta mi escuela!			
el horario	timetable	horaire	horário
la comida	lunch	déjeuner	comida
el recreo	break	récréation	recreio

LA REVISTA

la educación	education	éducation	educação
Un colegio de artistas			
el teatro	theatre	théâtre	teatro
la pintura	painting	peinture	pintura
el canto	singing	chant	canto
la danza	dancing	danse	dança
dibujan *(inf.:* dibujar*)*	they draw	ils / elles dessinent	desenham
pintan *(inf.:* pintar*)*	they paint	ils / elles peignent	pintam
CANCIÓN			
el maestro/-a	master	maître / maîtresse	professor/a (mestre)
LA PEÑA DEL GARAJE			
el baloncesto	basketball	basket-ball	basquetebol
la natación	swimming	natation	natação
el judo	judo	judo	judô
el aeróbic	aerobics	aérobic	aeróbica
el atletismo	athletics	athlétisme	atletismo

NUESTRO PROYECTO

las notas	notes	notes	notas
el plano	map	plan	plano
la maqueta	sketch / scale model	maquette	maquete

EVALUACIÓN

1. los deberes	homework	devoirs	trabalhos de casa
prefiere *(inf.:* preferir *(ie))*	he / she prefers	il / elle / on préfère	prefere

	ENGLISH	FRANÇAIS	PORTUGUÊS

3. ¡SOMOS GENIALES!

¿CÓMO ES?

1. El casting

¿cómo es?	what is he / she / it like?	comment est-il / elle ?	como é?
delgado/-a	thin	mince	magro/-a
el pelo	hair	cheveux	cabelo
corto/-a	short	court/-e	curto/-a
castaño/-a	brown-haired / brunette	châtain	castanho/-a
pelirrojo/-a	red-haired	roux / rousse	ruivo/-a
alto/-a	tall	grand/-e	alto/-a
las gafas	glasses	lunettes	óculos
moreno/-a	dark-haired	brun/-e	moreno/-a
liso/-a	straight	raide	liso/-a
oscuro/-a	dark	foncé/-e	escuro/-a
lleva *(inf.:* **llevar***)*	he / she wears / has	il / elle porte	leva (usa)
rizado/-a	curly	frisé/e	encaracolado/-a
marrón	brown	marron	castanho
bajito/-a	quite short	très petit/e	baixinho/-a
el ojo	eye	œil	olho
gordito/-a	chubby / plump	dodu/-e	gordinho/-a
negro/-a	black	noir/-e	negro/-a

2. Se buscan

LAS PARTES DE LA CARA			
el bigote	moustache	moustache	bigode
la barba	beard	barbe	barba
EL ASPECTO FÍSICO			
rojo/-a	red	rouge	vermelho/-a
rubio/-a	fair-haired / blond/e	blond/-e	louro/-a
calvo/-a	bald	chauve	calvo/-a
azul	blue	bleu/e	azul
verde	green	vert/e	verde
claro/-a	light	clair/e	claro/-a
muy bonito/-a	very nice	très beau / belle	muito bonito/-a
MUY, BASTANTE, NO... MUY, UN POCO			
bastante	quite	assez	bastante
no muy	not very	pas très	não muito
un poco	a little	un peu	um pouco
guapo/-a	handsome / beautiful	beau / belle	bonito/-a
feo/-a	ugly	laid/-e	feio/-a
bajo/-a	short	petit/-e	baixo/-a
LOS ADJETIVOS			
inteligente	intelligent	intelligent/-e	inteligente

ESTA ES MI GENTE

la gente	people	gens	pessoas

3. Familias

vivo *(inf.:* **vivir***)*	I live	je vis	vivo
el / la abuelo/-a	grandfather / grandmother	grand-père / grand-mère	avô/-ó
el marido / la mujer	husband / wife	mari / femme	marido / mulher
las vacaciones	holidays / vacation	vacances	férias

4. Busco pareja

busco *(inf.:* **buscar***)*	I'm looking for	je cherche	procurar

MI VOCABULARIO ESENCIAL

	ENGLISH	FRANÇAIS	PORTUGUÊS
simpático/-a	friendly	sympathique	simpático/-a
antipático/-a	unfriendly / unpleasant	antipathique	antipático/-a
vago/-a	lazy	paresseux/-euse	preguiçoso/-a
callado/-a	quiet / reserved	réservé/e	calado/-a
deportista	sporty	sportif/-ive	desportista
trabajador/-a	hardworking	travailleur/-euse	trabalhador/a
responsable	responsible	responsable	responsável
empollón/-a	swot / grind	bûcheur/-euse	cê-dê-efe
sincero/-a	sincere	sincère	sincero/-a
tímido/-a	shy	timide	tímido/-a
desordenado/-a	untidy / messy	désordonné/-e	desorganizado/-a
divertido/-a	funny / amusing / entertaining	amusant/-e	divertido/-a
mentiroso/-a	liar	menteur/-euse	mentiroso/-a
llama (teléfono) *(inf.:* **llamar***)*	call	appelle	liga
LOS POSESIVOS			
el / la novio/-a	boyfriend / girlfriend	petit ami / petite amie	namorado/-a
mejor amigo	best friend	meilleur/e ami/e	melhor amigo/-a

4. ME GUSTA BAILAR

bailar	to dance	danser	dançar
En mi tiempo libre...			
el tiempo libre	free time / spare time	temps libre	tempo livre
escuchar música	to listen to music	écouter de la musique	ouvir música
el juego	game	jeu	jogo
tocar (instrumento)	to play (an instrument)	jouer (d'un instrument)	tocar
jugar al fútbol	to play football	jouer au football	jogar futebol
chatear	to chat	chater	chatear

ME GUSTA TOCAR LA GUITARRA

1. ¿Qué te gusta hacer?			
la bicicleta	bicycle	vélo	bicicleta
la serie	TV series	série télévisée	série
la película	film	film	filme
2. ¿Eres como Dani o como Martín?			
a veces	sometimes	parfois	às vezes
todas las semanas	every week	toutes les semaines	todas as semanas
comer	to eat	manger	comer
ayudar	to help	aider	ajudar
el fin de semana	weekend	week-end	fim-de-semana
entrenar	to train	s'entraîner	treinar
nunca	never	jamais	nunca

¿A QUÉ HORA TE LEVANTAS?

levantarse	to get up	se lever	levantar-se
3. ¿Qué hora es?			
¿qué hora es?	what time is it?	quelle heure est-il ?	que horas são?
acostarse	to go to bed	se coucher	deitar-se
la madrugada	small hours	aube	madrugada
4. Jugar al fúbtol y dormir			
ir de vacaciones a la playa	to go on holiday to the beach	aller en vacances à la plage	ir de férias à praia
ver películas	to watch films	regarder des films	ver filmes

	ENGLISH	FRANÇAIS	PORTUGUÊS
5. Mi horario			
al día	up to date	par jour	no dia
LA HORA			
las dos y cuarto	quarter past two	deux heures et quart	duas e um quarto
las dos y media	half past two	deux heures et demie	duas e meia
las tres menos cuarto	quarter to three	trois heures moins le quart	um quarto para as três
las dos en punto	two o'clock	deux heures pile	duas em ponto
LOS DÍAS DE LA SEMANA			
el lunes	Monday	lundi	segunda-feira
el martes	Tuesday	mardi	terça-feira
el miércoles	Wednesday	mercredi	quarta-feira
el jueves	Thursday	jeudi	quinta-feira
el viernes	Friday	vendredi	sexta-feira
el sábado	Saturday	samedi	sábado
el domingo	Sunday	dimanche	domingo

REGLAS, PALABRAS Y SONIDOS

JUEGOS, DEPORTES Y OTRAS AFICIONES			
tocar el piano	to play the piano	jouer du piano	tocar o piano
tocar la batería	to play the drums	jouer de la batterie	tocar a bateria
tocar la guitarra	to play the guitar	jouer de la guitare	tocar a guitarra
jugar con videojuegos	to play video games	jouer aux jeux vidéo	jogar video game
ir en monopatín	to skateboard	faire du skate-board	andar de skate
LAS COMIDAS DEL DÍA			
el desayuno	breakfast	petit déjeuner	café da manhã
la comida	lunch	déjeuner / dîner	almoço
la merienda	afternoon tea / snack	goûter	lanche
la cena	dinner / supper	dîner / souper	jantar

LA REVISTA

Música latina			
el / la escritor/a	writer	écrivain	escritor/a
el actor / la actriz	actor / actress	acteur / actrice	ator/a atriz
VÍDEO			
tener hambre	to be hungry	avoir faim	ter fome
tener sueño	to be sleepy	avoir sommeil	ter sono
LA PEÑA DEL GARAJE			
aburrido/-a	bored / boring	ennuyeux/-euse	chato/-a

NUESTRO PROYECTO

el disfraz	disguise	déguisement	disfarce

5. ¡QUÉ BONITO!

Las fotos de María			
las rebajas	sales	soldes	liquidação
feliz cumpleaños	happy birthday	joyeux anniversaire	feliz aniversário

UN REGALO PARA TI

1. En una calle comercial			
gafas de sol	sunglasses	lunettes de soleil	óculos de sol
la camiseta	T-shirt	tee-shirt	camiseta
el zapato	shoe	chaussure	sapato
la carpeta	folder	dossier	tapete
las zapatillas de deporte	trainers	baskets	tênis

	ENGLISH	FRANÇAIS	PORTUGUÊS
la papelería	stationer's shop	papeterie	papelaria
la tienda de deportes	sports shop	magasin de sports	loja de desporto
la tienda de ropa	clothes shop	magasin de vêtements	loja de roupa
la heladería	ice cream parlour	glacier	sorveteria
la zapatería	shoe shop	magasin de chaussures	sapataria
la librería	bookshop	librairie	livraria
el bar	bar	bar	bar
LOS MESES			
el enero	January	janvier	janeiro
el febrero	February	février	fevereiro
el marzo	March	mars	março
el abril	April	avril	abril
el mayo	May	mai	maio
el junio	June	juin	junho
el julio	July	juillet	julho
el agosto	August	août	agosto
el septiembre	September	septembre	setembro
el octubre	October	octobre	outubro
el noviembre	November	novembre	novembro
el diciembre	December	décembre	dezembro
LOS ARTÍCULOS INDETERMINADOS			
la tienda	shop	magasin	loja
blanco/-a	white	blanc / blanche	branco/-a
barato/-a	cheap	bon marché	barato/-a

¿CUÁNTO CUESTAN ESTAS GAFAS?

2. La maleta

la maleta	suitcase	valise	mala
el anorak	anorak	anorak	blusão
los vaqueros	jeans	jean	jeans
la sudadera	hoodie / hooded sweatshirt	sweat-shirt	suéter (desportivo)
la falda	skirt	jupe	saia
la gorra	cap	casquette	gorro
la bota	boot	botte	bota
el jersey	sweater / pullover / jumper	pull-over	suéter
el guante	glove	gant	luva
la bufanda	scarf	écharpe	cachecol
el bañador	swimming costume	maillot de bain	maiô
la chaqueta	jacket	veste	casaco
el pijama	pyjama	pyjama	pijama

3. Compras

las compras	shopping / purchases	courses	compras
¡qué caro!	so expensive!	c'est cher !	caro
amarillo	yellow	jaune	amarelo
gris	grey	gris/e	cinzento
bolso	handbag	sac	bolso
¿SABES QUE...?			
celebrar	to celebrate	fêter	comemorar
la fiesta	party	fête	festa
ADJETIVOS PARA LA ROPA			
la ropa	clothes	vêtements	roupa
grande	big	grand/-e	grande
pequeño/-a	small	petit/-e	pequeno
largo/-a	long	long / longue	largo

	ENGLISH	FRANÇAIS	PORTUGUÊS
PREGUNTAR EL PRECIO			
el precio	price	prix	preço
EXCLAMATIVAS			
¡muchas gracias!	many thanks!	merci beaucoup !	muito obrigado!
LOS COLORES			
rosa	pink	rose	rosa
naranja	orange	orange	laranja
DEMASIADO			
necesitar	to need	avoir besoin de	necessitar

REGLAS, PALABRAS Y SONIDOS

UNOS PANTALONES...			
los pantalones	trousers	pantalon	calças

LA REVISTA

Las quinceañeras

el / la invitado/-a	guest	invité/-e	convidado/-a
el traje	suit / dress	costume	traje
elegante	elegant	élégant/-e	elegante
la vela	candle	bougie	vela
el pastel	cake	gâteau	bolo

6. ¡BUEN VIAJE!

¡buen viaje!	have a good trip!	bon voyage !	boa viagem!

¿CONOCES AMÉRICA LATINA

1. ¿Qué tal vas de geografía?

la montaña	mountain	montagne	montanha
el río	river	fleuve / rivière	rio
la ciudad	city	ville	cidade
el lago	lake	lac	lago
el mar	sea	mer	mar
la isla	island	île	ilha
el océano	ocean	océan	oceano
la capital	capital	capitale	capital

2. Nicaragua, un país entre dos océanos

al norte	to the north	au nord	a norte
al sur	to the south	au sud	ao sul
al este	to the east	à l'est	a leste
al oeste	to the west	à l'ouest	a oeste
la moneda	currency	monnaie	moeda
el producto	product	produit	produto
el clima	climate	climat	clima
la estación (del año)	season (of the year)	saison (de l'année)	estação
seco/-a	dry	sec / sèche	seco/-a
húmedo/-a	humid	humide	húmido/-a
la temperatura	temperature	température	temperatura
el lugar de interés	place of interest	lieu d'intérêt	local de interesse
la población	population	population	população, povo

3. ¡Qué frío!

EL TIEMPO			
el tiempo (meteorol.)	weather (meteorology)	météo	tempo
el calor	heat	chaleur	calor

MI VOCABULARIO ESENCIAL

	ENGLISH	FRANÇAIS	PORTUGUÊS
el frío	cold	froid	frio
el viento	wind	vent	vento
el sol	sun	soleil	sol
el buen tiempo	good weather	beau temps	bom tempo
el mal tiempo	bad weather	mauvais temps	mau tempo
nevar *(ie)*	to snow	neiger	nevar
la nieve	snow	neige	neve

DE VIAJE

4. Dos familias muy viajeras

el autobús	bus	bus	ônibus
el tren	train	train	trem
descansar	to rest	se reposer	descansar
el museo	museum	musée	museu
pasear	to go for a walk / to walk about	se promener	passear
el restaurante	restaurant	restaurant	restaurante
el parque (de atracciones)	amusement park / theme park	parc d'attractions	parque

5. Nos vamos de vacaciones

quedarse (en)	to stay (in / at)	rester (à) / séjourner (dans)	ficar (em)
el barco	boat / ship	bateau	barco
el coche	car	voiture	carro
salir por la noche	to go out at night	sortir le soir	sair à noite
la plaza	square	place	praça
en avión	by plane	en avion	de avião
bañarse	to take a bath	se baigner	tomar banho
LAS ESTACIONES			
la primavera	spring	printemps	primavera
el verano	summer	été	verão
el otoño	autumn	automne	outono
el invierno	winter	hiver	inverno
HABLAR DE PLANES			
pasado mañana	day after tomorrow	après-demain	depois de amanhã
el año que viene	next year	l'année prochaine	no ano que vem
la semana próxima	next week	la semaine prochaine	na próxima semana

REGLAS, PALABRAS Y SONIDOS

lluvioso/-a	rainy	pluvieux/-euse	chuvoso/-a
peligroso/-a	dangerous	dangereux/-euse	perigoso/-a
MEDIOS DE TRANSPORTE Y PREPOSICIONES DE LUGAR			
ir a pie	to go on foot / to walk	aller à pied	ir a pé

LA REVISTA

La América tropical

la guía	guide	guide	guia
cómodo/-a	comfortable	confortable	confortável
el sombrero	hat	chapeau	chapéu (de sol)
la crema solar	sunscreen	crème solaire	protetor solar
caluroso/-a	hot	chaud/-e	caloroso/-a

MI VOCABULARIO A-Z

	ENGLISH	FRANÇAIS	PORTUGUÊS
¡buen viaje!	have a good trip!	bon voyage !	boa viagem!
¡muchas gracias!	many thanks!	merci beaucoup !	muito obrigado!
¿cómo es?	what is he / she / it like?	comment est-il / elle ?	como é?
¿cómo estás?	how are you?	comment vas-tu ?	como vai?
¿cómo se escribe?	how do you write...?	comment cela s'écrit ?	como se escreve?
¿cómo te llamas?	what's your name?	comment tu t'appelles ?	qual é o seu nome?
¿cuántos años tiene?	how old is he / she ?	quel âge a-t-il / elle ?	quantos anos tem?
¿de dónde es?	where is he / she from?	d'où est-il / elle ?	de onde você é?
¿puedes repetírmelo?	could you repeat that?	vous pouvez répéter s'il vous plaît ? / tu peux répéter s'il te plaît ?	pode repetir?
¿qué hora es?	what time is it?	quelle heure est-il ?	que horas são?
¿qué significa?	what does that mean?	qu'est-ce que cela veut dire ?	o que significa?
¿qué tal?	how are you doing?	comment ça va ?	como vai?
a veces	sometimes	parfois	às vezes
abril, el	April	avril	abril
abuelo/-a, el / la	grandfather / grandmother	grand-père / grand-mère	avô/-ó
aburrido/-a	bored / boring	ennuyeux/-euse	chato/-a
acostarse	to go to bed	se coucher	deitar-se
actor, el / actriz, la	actor / actress	acteur / actrice	ator/a atriz
adiós	goodbye	au revoir	adeus
aeróbic, el	aerobics	aérobic	aeróbica
agosto, el	August	août	agosto
al día	up to date	par jour	no dia
al este	to the east	à l'est	a leste
al norte	to the north	au nord	a norte
al oeste	to the west	à l'ouest	a oeste
al sur	to the south	au sud	ao sul
alemán/-a	German	Allemand/e	alemão / alemã
alto/-a	tall	grand/e	alto/-a
amarillo	yellow	jaune	amarelo
amigo/-a, el / la	friend	ami/e	amigo/-a
anorak, el	anorak	anorak	blusão
antipático/-a	unfriendly / unpleasant	antipathique	antipático/-a
año que viene, el	next year	l'année prochain	no ano que vem
apellido, el	surname	nom (de famille)	sobrenome
arroba, la	at sign	arobase	arroba
asignatura, la	subject	matière	matéria (de uma disciplina)
atletismo, el	athletics	athlétisme	atletismo

MI VOCABULARIO A-Z

	ENGLISH	FRANÇAIS	PORTUGUÊS
aula, el	classroom	salle de classe	a aula
autobús, el	bus	bus	ônibus
ayudar	to help	aider	ajudar
azul	blue	bleu/e	azul
bailar	to dance	danser	dançar
bajito/-a	quite short	très petit/e	baixinho/-a
bajo/-a	short	petit/e	baixo/-a
baloncesto, el	basketball	basket-ball	basquetebol
bañador, el	swimming costume	maillot de bain	maiô
bañarse	to take a bath	se baigner	tomar banho
bar, el	bar	bar	bar
barato/-a	cheap	bon marché	barato/-a
barba, la	beard	barbe	barba
barco, el	boat / ship	bateau	barco
bastante	quite	assez	bastante
biblioteca, la	library	bibliothèque	biblioteca
bicicleta, la	bicycle	vélo	bicicleta
bigote, el	moustache	moustache	bigode
blanco/-a	white	blanc / blanche	branco/-a
bloc de anillas, el	ring binder	classeur	caderno de argolas
bolígrafo, el	pen	stylo	caneta
bolso	handbag	sac	bolso
bota, la	boot	botte	bota
buen tiempo, el	good weather	beau temps	bom tempo
buenos días	good morning	bonjour	bom dia
bufanda, la	scarf	écharpe	cachecol
buscar	to look for	chercher	procurar
callado/-a	quiet / reserved	réservé/e	calado/-a
calor, el	heat	chaleur	calor
caluroso/-a	hot	chaud/e	caloroso/-a
calvo/-a	bald	chauve	calvo/-a
camiseta, la	T-shirt	tee-shirt	camiseta
campo de fútbol, el	football pitch	terrain de football	campo de futebol
canción, la	song	chanson	canção
canto, el	singing	chant	canto
capital, la	capital	capitale	capital
caro/-a	expensive	cher/-ère	caro/-a
carpeta, la	folder	dossier	tapete
casa, la	house	maison	casa
castaño/-a	brown-haired / brunette	châtain	castanho/-a
celebrar	to celebrate	fêter	comemorar
cena, la	dinner / supper	dîner / souper	jantar
chaqueta, la	jacket	veste	casaco
chatear	to chat	chater	chatear
chico/-a, el / la	boy / girl	garçon / fille	garoto/-a
Ciencias Naturales, las	Natural Sciences	Sciences Naturelles	Ciências Naturais
Ciencias Sociales, las	Social Sciences	Histoire-Géographie	Ciências Sociais
ciudad, la	city	ville	cidade
claro/-a	clear	clair/e	claro/-a
clase de música, la	music class	cours de musique	aude música
clase, la (actividad)	class	cours	aula
clima, el	climate	climat	clima
coche, el	car	voiture	carro
cole, el *(fam.)*	school	école	escola
comedor, el	dining hall / canteen	cantine	sade jantar
comer	to eat	manger	comer
comida, la	lunch	déjuner / dîner	almoço
cómo se llama	how do you say this	comment ça se dit	como se chama

	ENGLISH	FRANÇAIS	PORTUGUÊS
cómodo/-a	comfortable	confortable	confortável
compras, las	shopping / purchases	courses	compras
comprender	to understand	comprendre	entender
correo electrónico, el	e-mail address	courrier électronique	correio eletrônico (e-mail)
corto/-a	short	court/e	curto/-a
crema solar, la	sunscreen	crème solaire	protetor solar
cuaderno, el	exercise book	cahier	caderno
cuánto/-a	how many	combien	quanto/a
cumpleaños, el	birthday	anniversaire	aniversário
danza, la	dancing	danse	dança
datos personales, los	personal details	renseignements personnels	dados pessoais
deletrear	to spell	épeler	soletrar
delgado/-a	thin	mince	magro/-a
deportista	sporty	sportif/-ive	desportista
desayuno, el	breakfast	petit déjeuner	café da manhã
descansar	to rest	se reposer	descansar
desordenado/-a	untidy / messy	désordonné/e	desorganizado/-a
dibujar	to draw	dessiner	desenhar
dibujo, el	drawing	dessin	desenho
diciembre, el	December	décembre	dezembro
disfraz, el	disguise	déguisement	disfarce
divertido/-a	funny / amusing / entertaining	amusant/e	divertido/-a
domicilio, el	home address	adresse	endereço
domingo, el	Sunday	dimanche	domingo
dónde	where	où	onde
dos en punto, las	two o'clock	deux heures pile	duas em ponto
dos y cuarto, las	quarter past two	deux heures et quart	duas e um quarto
dos y media, las	half past two	deux heures et demie	duas e meia
edad, la	age	âge	idade
Educación Física, la	Physical Education	Éducation Physique et Sportive	Educação Física
educación, la	education	éducation	educação
ejercicio, el	exercise	exercice	exercício
él / ella	he / she / it	il / elle	ele / ela
el / la escritor/-a	writer	écrivain	escritor/a
elegante	elegant	élégant/e	elegante
ellos/-as	they	ils / elles	eles / elas
empollón/a	swot / grind	bûcheur/-euse	cê-dê-efe
en avión	by plane	en avion	de avião
enero, el	January	janvier	janeiro
enfermería, la	sick bay	infirmerie	enfermaria
entrenar	to train	s'entraîner	treinar
escribir	to write	écrire	escrever
escuchar	to listen	écouter	escutar
escuchar música	to listen to music	écouter de la musique	ouvir música
escuela, la	school	école	escola
español, el	Spanish	espagnol/e	espanhol
español/-a	Spanish	Anglais/e	espanhol/a
estación, la (del año)	season (of the year)	saison (de l'année)	estação
estuche, el	pencil case	trousse	estojo
estudiar	to study	étudier	estudar
Expresión Plástica, la	Plastic Arts	Arts Plastiques	Expressão Plástica
falda, la	skirt	jupe	saia
familia, la	family	famille	família
favorito/-a	favourite	favori/-ite	favorito/-a
febrero, el	February	février	fevereiro

	ENGLISH	FRANÇAIS	PORTUGUÊS
fecha de nacimiento, la	birth date	date de naissance	data de nascimento
fecha, la	date	date	data
feliz cumpleaños	happy birthday	joyeux anniversaire	feliz aniversário
feo/-a	ugly	laid/e	feio/-a
fiesta, la	party	fête	festa
fin de semana, el	weekend	week-end	fim-de-semana
foto, la	photo	photo	foto
Francés, el	French	Français/e	Francês
francés/-a	French	Allemand/e	francês / francesa
frío, el	cold	froid	frio
gafas de sol, las	sunglasses	lunettes de soleil	ócude sol, los
gafas, las	glasses	lunettes	óculos
garaje, el	garage	garage	garagem
gato, el	cat	chat	gato
gente, la	people	gens	pessoas
gimnasio, el	gym	gymnase	ginásio
goma, la	rubber / eraser	gomme	borracha
gordito/-a	chubby / plump	dodu/e	gordinho/-a
gorra, la	cap	casquette	gorro
gracias	thank you	merci	obrigado/-a
grande	big	grand/e	grande
gris	grey	gris/e	cinzento
grupo, el	group	groupe	grupo
guante, el	glove	gant	luva
guapo/-a	handsome / beautiful	beau / belle	bonito/-a
guía, la	guide	guide	guia
hablar	to speak	parler	falar
hablar más alto	to speak louder	parler plus fort	falar mais alto
hablar más despacio	to speak more slowly	parler plus lentement	falar mais devagar
hasta luego	see you later	à plus tard	até logo
hasta mañana	see you tomorrow	à demain	até amanhã
hay	there is / are	il y a	tem
heladería, la	ice cream parlour	glacier	sorveteria
hermano/-a, el / la	brother / sister	frère / sœur	irmão / irmã
hola	hello	salut	olá
horario, el	timetable	horaire	horário
húmedo/-a	humid	humide	húmido/-a
idioma, el	language	langue	língua (idioma)
imagen, la	image	image	imagem
información, la	information	information	informação
Informática, la	Computing	Informatique	Informática
Inglés, el	English	Anglais/e	Inglês
inglés/-a	English	Français/e	inglês / inglesa
inteligente	intelligent	intelligent/e	inteligente
invierno, el	winter	hiver	inverno
invitado/-a, el / la	guest	invité/e	convidado/-a
ir a pie	to go on foot / to walk	aller à pied	ir a pé
ir al servicio	to go to the toilet	aller aux toilettes	ir ao banheiro
ir de vacaciones a la playa	to go on holiday to the beach	aller en vacances à la plage	ir de férias à praia
ir en monopatín	to skateboard	faire du skate-board	andar de skate
isla, la	island	île	ilha
jersey, el	sweater / pullover / jumper	pull-over	suéter
judo, el	judo	judo	judô
juego, el	game	jeu	jogo
jueves, el	Thursday	jeudi	quinta-feira
jugar al fútbol	to play football	jouer au football	jogar futebol
julio, el	July	juillet	julho

	ENGLISH	FRANÇAIS	PORTUGUÊS
junio, el	June	juin	junho
laboratorio, el	laboratory	laboratoire	laboratório
lago, el	lake	lac	lago
lápiz, el	pencil	crayon	lápis
largo/-a	long	long / longue	largo
leer	to read	lire	ler
Lengua y la Literatura Españolas, la	Spanish Language and Literature	Langue et Littérature Espagnoles	Língua e Literatura Espanholas
levantarse	to wake up	se lever	levantar-se
librería, la	bookshop	librairie	livraria
libreta, la	notebook	carnet	bloco de notas
libro, el	book	livre	livro
liso/-a	straight	raide	liso/-a
llamar (teléfono)	to call	appeller	ligar
lleva acento	it has an accent mark	a un accent	tem acento
llevar	to wear / to have	porter	usar
lluvioso/-a	rainy	pluvieux/-euse	chuvoso/-a
lo siento	I'm sorry	je suis désolé/-e	sinto muito
los deberes	homework	devoirs	trabalhos de casa
los pantalones	trousers	pantalon	calças
los vaqueros	jeans	jean	jeans
lugar de interés, el	place of interest	lieu d'intérêt	local de interesse
lugar de nacimiento, el	birth place	lieu de naissance	local de nascimento
lunes, el	Monday	lundi	segunda-feira
madre, la	mother	mère	mãe
madrugada, la	small hours	aube	madrugada
mal tiempo, el	bad weather	mauvais temps	mau tempo
maleta, la	suitcase	valise	mala
mañana, la	morning	matin	manhã
maqueta, la	sketch / scale model	maquette	maquete
mar, el	sea	mer	mar
marido, el / mujer, la	husband / wife	mari / femme	marido / mulher
marrón	brown	marron	castanho
martes, el	Tuesday	mardi	terça-feira
marzo, el	March	mars	março
mascota, la	pet	animal de compagnie	mascote
Matemáticas, las	Mathematics	Mathématiques	Matemática
mayo, el	May	mai	maio
me gusta/-n	I like	j'aime	gosto
mediodía, el	noon	midi	meio-dia
mejor amigo	best friend	meilleur/e ami/e	melhor amigo/-a
memorizar	to memorize	mémoriser	memorizar
mentiroso/-a	liar	menteur/-euse	mentiroso/-a
merienda, la	afternoon tea / snack	goûter	lanche
mesa, la	table	table	mesa
miércoles, el	Wednesday	mercredi	quarta-feira
mochila, la	bag	sac à dos	mochila
moneda, la	currency	monnaie	moeda
montaña, la	mountain	montagne	montanha
moreno/-a	dark-haired	brun/e	moreno/-a
móvil, el	mobile phone	téléphone portable	celular
museo, el	museum	musée	museu
Música, la	Music	Musique	Música
muy bien	very well	très bien	muito bem
muy bonito/-a	very nice	très beau / belle	muito bonito/-a
nacionalidad, la	nationality	nationalité	nacionalidade
naranja	orange	orange	laranja
natación, la	swimming	natation	natação
necesitar	to need	avoir besoin de	necessitar

MI VOCABULARIO A-Z

	ENGLISH	FRANÇAIS	PORTUGUÊS
negro/-a	black	noir/e	negro/-a
nevar *(ie)*	to snow	neiger	nevar
nieve, la	snow	neige	neve
no lo entiendo	I don't understand	je ne comprends pas	não entendo
no lo sé	I don't know	je ne sais pas	não sei
no muy	not very	pas très	não muito
noche, la	night	nuit	noite
nombre, el	name / first name	prénom	nome
nosotros/-as	we	nous	nós
notas, las	notes	notes	notas
noviembre, el	November	novembre	novembro
novio/-a, el / la	boyfriend / girlfriend	petit ami / petite amie	namorado/-a
nunca	never	jamais	nunca
océano, el	ocean	océan	oceano
octubre, el	October	octobre	outubro
ojo, el	eye	œil	olho
ordenador, el	computer	ordinateur	computador
oscuro/-a	dark	foncé/e	escuro/-a
otoño, el	autumn	automne	outono
padre, el	father	père	pai
página, la	page	page	página
país, el	country	pays	país
palabra, la	word	mot	palavra
papelería, la	stationer's shop	papeterie	papelaria
parque, el (de atracciones)	amusement park / theme park	parc d'attractions	parque
pasado mañana	day after tomorrow	après-demain	depois de amanhã
pasear	to go for a walk / to walk about	se promener	passear
pastel, el	cake	gâteau	bolo
patio, el	playground	cour	pátio
película, la	film	film	filme
peligroso/-a	dangerous	dangereux/-euse	perigoso/-a
pelirrojo/-a	red-haired	roux / rousse	ruivo/-a
pelo, el	hair	cheveux	cabelo
peña, la	gang / crew	bande	galera
pequeño/-a	small	petit/e	pequeno
perro, el	dog	chien	cão
persona	person	personne	pessoa
pez, el	fish	poisson	peixe
pijama, el	pyjama	pyjama	pijama
pintar	to paint	peindre	pintar
pintura, la	painting	peinture	pintura
piscina, la	swimming pool	piscine	piscina
pista de tenis, la	tennis court	court de tennis	quadra de ténis
pizarra, la	blackboard	tableau	quadro
plano, el	map	plan	plano
plaza, la	square	place	praça
población, la	population	population	população, povo
poder *(ue)*	to be able to / can / may	pouvoir	poder
por favor	please	s'il vous plaît	por favor
porque	because	parce que	porque
portugués/-a	Portuguese	Portugais/e	português/a
precio, el	price	prix	preço
preferir *(ie)*	to prefer	préférer	preferir
primavera, la	spring	printemps	primavera
producto, el	product	produit	produto
profesor/a, el / la	teacher	professeur	professor/a

	ENGLISH	FRANÇAIS	PORTUGUÊS
pueblo, el	town / village	village	povoação
quedarse (en)	to stay (in / at)	rester (à) / séjourner (dans)	ficar (em)
quién	who	qui	quem
rebajas, las	sales	soldes	liquidação
recreo, el	break	récréation	recreio
repetir *(i)*	to repeat	répéter	repetir
responsable	responsible	responsable	responsável
restaurante, el	restaurant	restaurant	restaurante
río, el	river	fleuve / rivière	rio
rizado/-a	curly	frisé/e	encaracolado/-a
rojo/-a	red	rouge	vermelho/-a
ropa, la	clothes	vêtements	roupa
rosa	pink	rose	rosa
rubio/-a	fair-haired / blond/e	blond/e	louro/-a
sábado, el	Saturday	samedi	sábado
salir por noche, la	to go out at night	sortir le soir	sair à noite
seco/-a	dry	sec / sèche	seco/-a
semana próxima, la	next week	semaine prochaine, la	na próxima semana
septiembre, el	September	septembre	setembro
ser *(*)*	to be	être	ser
serie, la	TV series	série télévisée	série
significado, el	meaning	sens	significado
silla, la	chair	chaise	cadeira
simpático/-a	friendly	sympathique	simpático/-a
sincero/-a	sincere	sincère	sincero/-a
sol, el	sun	soleil	sol
sombrero, el	hat	chapeau	chapéu (de sol)
sudadera, la	hoodie / hooded sweatshirt	sweat-shirt	suéter (desportivo)
suerte, la	luck	chance	sorte
también	also / too	aussi	também
tampoco	not... either / neither / nor	non plus	tampouco (também não)
tarde, la	afternoon / evening	après-midi / soir	tarde
teatro, el	theatre	théâtre	teatro
teléfono, el	telephone	téléphone	telefone
temperatura, la	temperature	température	temperatura
tener *(ie)*	to have	avoir	ter
tener hambre	to be hungry	avoir faim	ter fome
tener sueño	to be sleepy	avoir sommeil	ter sono
tiempo libre, el	free time / spare time	temps libre	tempo livre
tiempo, el (meteorol.)	weather (meteorology)	météo	tempo
tienda de deportes, la	sports shop	magasin de sports	loja de desporto
tienda de ropa, la	clothes shop	magasin de vêtements	loja de roupa
tienda, la	shop	magasin	loja
tímido/-a	shy	timide	tímido/-a
tocar (instrumento)	to play (an instrument)	jouer (d'un instrument)	tocar
tocar el piano	to play the piano	jouer du piano	tocar o piano
tocar la batería	to play the drums	jouer de la batterie	tocar a bateria
tocar la guitarra	to play the guitar	jouer de la guitare	tocar a guitarra
todas semanas, las	every week	toutes les semaines	todas as semanas
trabajador/a	hardworking	travailleur/-euse	trabalhador/a
trabajar	to work	travaillenr	trabalhar
traje, el	suit / dress	costume	traje
transporte escolar, el	school transport	transport scolaire	transporte escolar
tren, el	train	train	trem

 MI VOCABULARIO A-Z

	ENGLISH	FRANÇAIS	PORTUGUÊS
tres menos cuarto, las	quarter to three	trois heures moins le quart	um quarto para as três
tú	you (singular, informal)	tu	você
un poco	a little	un peu	um pouco
uniforme, el	uniform	uniforme	uniforme
usted	you (singular, formal)	vous	o senhor / a senhora
vacaciones, las	holidays / vacation	vacances	férias
vago/-a	lazy	paresseux/-euse	preguiçoso/-a
vela, la	candle	bougie	vela
ver películas	to watch films	regarder des films	ver filmes
verano, el	summer	été	verão
verde	green	vert/e	verde
viajar	to travel	voyager	viajar
videojuego, el	video game	jeu vidéo	videogame
viento, el	wind	vent	vento
viernes, el	Friday	vendredi	sexta-feira
vivir	to live	habiter, vivre	viver
vosotros/-as	you (plural, informal)	vous	vocês
yo	I	je	eu
zapatería, la	shoe shop	magasin de chaussures	sapataria
zapatillas de deporte, las	trainers	baskets	tênis
zapato, el	shoe	chaussure	sapato

GLOSARIO DE TÉRMINOS GRAMATICALES

	ENGLISH	FRANÇAIS	PORTUGUÊS
adjetivo, el	adjective	adjectif	adjetivo
adjetivo calificativo, el	descriptive adjective	adjectif qualificatif	adjetivo qualificativo
artículo determinado, el	definite article	article défini	artigo definido
artículo indeterminado, el	indefinite article	article indéfini	artigo indefinido
comprensión lectora, la	reading comprehension	compréhension de l'écrit	compreensão de leitura
comprensión oral, la	listening comprehension	compréhension de l'oral	compreensão oral
concordancia, la	agreement	concordance	concordância
conjunción, la	conjunction	conjonction	conjunção
cuantificador, el	quantifier	quantifieur	quantificador
demostrativo, el	demonstrative	démonstratif	demonstrativo
exclamativa, la (frase)	exclamatory (sentence)	(phrase) exclamative	(frase) exclamativa
expresar	to express	exprimer	expressar
expresión, la	expression	expression	expressão
expresión escrita, la	written expression	expression écrite	expressão escrita
expresión oral, la	oral expression	expression orale	expressão oral
femenino, el	feminine	féminin	feminino
forma verbal, la	verbal form	forme verbale	forma verbal
formación, la	formation	formation	formação
formar	to form	former	formar
función, la	function	fonction	função
frase, la	sentence	phrase	frase
futuro, el (tiempo verbal)	future (verb tense)	futur (temps verbal)	futuro (tempo verbal)
género, el	gender	genre	gênero
gramática, la	grammar	grammaire	gramática
impersonalidad, la	impersonality	construction impersonnelle	impessoalidade
infinitivo, el	infinitive	infinitif	infinitivo
interacción oral, la	oral interaction	interaction orale	interação oral
léxico, el	vocabulary	lexique	léxico
masculino, el	masculine	masculin	masculino
negación, la	negation	négation	negação
negativo	negative	négatif	negativo
nombre, el	noun	nom	nome
número, el	number	nombre	número
omitir (omiten)	to omit (they omit)	omettre (ils / elles omettent)	omitir (omitem)
palabra aguda, la	word stressed on the last syllable	mot accentué sur la dernière syllabe	palavra aguda

GLOSARIO DE TÉRMINOS GRAMATICALES

	ENGLISH	FRANÇAIS	PORTUGUÊS
palabra esdrújula, la	word stressed on the third-to-last syllable	mot accentué sur l'antépénultième syllabe	palavra esdrúxula
palabra llana, la	word stressed on the second-to-last syllable	mot accentué sur l'avant-dernière syllabe	palavra simples
participio, el	participle	participe	particípio
perífrasis, la	periphrasis	périphrase	perífrase
persona (gramatical), la	person (grammatical)	personne (grammaticale)	pessoa (gramatical)
plural, el	plural	pluriel	plural
posesivo (tónico / átono), el	possessive (stressed / unstressed)	possessif (tonique/ atone)	possessivo (tônico / átono)
preposición, la	preposition	préposition	preposição
presente (de indicativo), el	present (simple)	présent (de l'indicatif)	presente (do indicativo)
pretérito perfecto, el	present perfect	passé composé	pretérito perfeito
pronombre, el	pronoun	pronom	pronome
pronombre personal, el	personal pronoun	pronom personnel	pronome pessoal
regla, la	rule	règle	regra
referirse a	to refer to	parler de	referem-se a
relativo, la (frase) de	relative clause	proposition relative	(frase) relativa
sílaba, la	syllable	syllabe	sílaba
sílaba tónica, la	stressed syllable	syllabe tonique	sílaba tônica
singular, el	singular	singulier	singular
sonido, el	sound	son	som
sujeto, el	subject	sujet	sujeito
superlativo, el	superlative	superlatif	superlativo
terminación, la	ending	terminaison	terminação
verbo, el	verb	verbe	verbo
verbo regular, el	regular verb	verbe régulier	verbo regular
verbo irregular, el	irregular verb	verbe irrégulier	verbo irregular
verbo reflexivo, el	reflexive verb	verbe pronominal	verbo reflexivo
vocabulario, el	vocabulary	vocabulaire	vocabulário

MAPAS

CULTURALES / POLÍTICOS / FÍSICOS

MAPA CULTURAL DE ESPAÑA

1. La pesca y el consumo de marisco es muy importante en Galicia.
2. Se cree que el apóstol Santiago está enterrado en Santiago de Compostela. Por este motivo, miles de peregrinos recorren cada año el Camino de Santiago.
3. La catedral de Santiago de Compostela es una de las catedrales más espectaculares de España.
4. La sidra, que se obtiene por fermentación del zumo de manzana, es la bebida típica de Asturias.
5. La pesca es muy importante en todo el litoral cantábrico.
6. El *Peine de los vientos*, situado en San Sebastián, es una de las obras más destacadas del escultor vasco Eduardo Chillida.
7. El *Guernica* de Picasso representa el ataque de la aviación nazi a la población vasca de Guernica.
8. La catedral de León es una obra maestra del estilo gótico.
9. San Fermín es una de las fiestas populares más conocidas de España; en los famosos "encierros", la gente corre por las calles de Pamplona delante de los toros.
10. El Pirineo cuenta con numerosas estaciones de esquí.
11. La iglesia de Sant Climent de Taüll es una de las iglesias románicas más interesantes del Pirineo.
12. Salvador Dalí es uno de los pintores más representativos del Surrealismo.
13. Obra del arquitecto modernista Antoni Gaudí, la Sagrada Familia es uno de los símbolos de la ciudad de Barcelona.
14. Los "castillos humanos" son una de las tradiciones catalanas más espectaculares.
15. El Anfiteatro Romano de Tarragona es uno de los mejor conservados del país.
16. La Basílica de Nuestra Señora del Pilar es el símbolo de la ciudad de Zaragoza.
17. En la región de La Rioja se producen algunos de los mejores vinos del mundo.
18. El Castillo de la Mota, construido en el siglo XII, es uno de los más importantes de Castilla.
19. La tuna es una institución universitaria que mantiene vivas las costumbres heredadas de los estudiantes españoles del siglo XIII: su amor por el romanticismo, la noche, la música y los viajes.
20. El toro es uno de los símbolos nacionales de España.
21. En las llanuras de Castilla y León se cultiva una gran variedad de legumbres y cereales.
22. Obra del arquitecto Sabatini en 1778, la Puerta de Alcalá es uno de los monumentos más emblemáticos de Madrid.
23. *Las Meninas* de Velázquez y otras obras muy importantes de la pintura mundial están expuestas en el Museo del Prado de Madrid.
24. Mérida cuenta con un impresionante conjunto arqueológico romano en el que destaca el Teatro Romano.
25. En la zona de Guijuelo, provincia de Salamanca, se produce un jamón y unos embutidos de primera calidad.
26. Las tierras de La Mancha son famosas por sus molinos de viento.
27. El queso manchego es uno de los más apreciados de la Península.
28. Las naranjas valencianas son famosas en el mundo entero.
29. La paella es un plato típico valenciano.
30. Benidorm es uno de los principales destinos turísticos de España.
31. En Extremadura, Andalucía y otros lugares de España se cría una raza autóctona de cerdos, el cerdo ibérico; a su jamón se le llama de "pata negra".
32. Construida en el siglo XIII, la Torre del Oro es uno de los edificios más emblemáticos de Sevilla.
33. La fiesta de los toros es probablemente la más característica de España.
34. Jaén es conocida por las aceitunas que produce.
35. La huerta murciana posee una de las agriculturas más productivas del país.
36. El vino de Jerez es uno de los más típicos de España.
37. La Alhambra de Granada es uno de los palacios árabes mejor conservados del mundo.
38. La Costa del Sol es otro de los destinos turísticos preferidos de España.
39. En Semana Santa suele haber procesiones por todo el país; algunas de las más vistosas son las de Andalucía. Los penitentes que se visten con túnica morada son los llamados "nazarenos".
40. En Menorca se produce una ginebra autóctona de gran calidad.
41. Tanto en Mallorca como en Menorca se conservan numerosos restos megalíticos.
42. En algunas zonas de Ibiza, las mujeres siguen utilizando los vestidos tradicionales ibicencos.
43. En las Islas Canarias hay muchas palmeras.
44. Debido a su accidentado relieve, en La Gomera se desarrolló una peculiar forma de comunicación mediante silbidos.
45. El Teide es la montaña más alta de España.
46. Las Canarias son conocidas por los exquisitos plátanos que produce.
47. Obra del arquitecto Santiago Calatrava, el espectacular Auditorio de Santa Cruz de Tenerife es uno de los nuevos símbolos de las islas.
48. En la isla de Fuerteventura hay muchos camellos.
49. Las Islas Canarias son uno de los principales destinos turísticos del país.